VICTORY

DYNAMIC COMMERCIAL SPACE
The total solution expert

活态商务空间
整体方案解决专家

活态空间　愉悦办公
Dynamic space　Enjoy smart work

百利提供:屏风工作站系统·板式桌组系统·实木桌组系统·高隔间系统·商务座椅系统·商务沙发系统·商务钢柜系统解决方案

VICTORY
百利集团[中国]有限公司
VICTORY OFFICE SYSTEM HOLDING [CHINA] LIMITED

百利集团工业园
地址：广州市从化市太平镇经济开发区福从路19号
总机：020-37922888 传真：020-37922001 邮编：510990

Victory Group's Industrial Park
Add: No. 19, Fucong Road, Economic Development Zone,
Taiping Town, Conghua City, Guangzhou
TEL: 0086-20-37922888　FAX: 0086-20-37922001
Post code: 510990

marmocer®

米 洛 西 · 石 砖

石砖开创者，再定义豪宅

米洛西石砖，石砖豪宅空间整体解决服务商

作为石砖行业的开创者，MARMOCER米洛西，以品牌创变石界
以设计再定义顶级天然大理石，以设计再定义豪宅空间，以空间再定义生活方式
米洛西全新概念的豪宅生活方式
「跨界设计+石砖创意原素+应用魔术+豪宅生活」
以再定义的维度，解读豪宅空间、生活方式与装饰材质

MARMOCER米洛西，石界奢侈品，为豪宅而生。

米洛西石砖有限公司 ｜ 全国服务热线：**400-678-0810** ｜ WWW.MARMOCER.COM

[GREEN]³

| Gp (Green produce) | Gs (Green sell) | Gu (Green use) |

$$[GREEN]^3 = GP \times GS \times GU$$

GREEN³ = Gp (绿色生产) x Gs (绿色销售) x Gu (绿色使用)

Gp (Green produce)

VASAiO 维迅陶瓷
Ceramics 绿色建陶供应商

Gu (Green use)

Gs (Green sell)

T&L超薄瓷片、金刚盾（抛釉）大规格建材
www.vasaio.com.cn

公司简介

雅缴精缴建材创建于九十年代初。
二十年来，致力于合成聚氨酯(PU)、
高强度纤维制品(GRG)与玻璃纤维产品(FRP)
装饰建材之天花与墙面领域，我们一直崇尚
『团体精神』、『严格质量』、『专业服务』
为经营宗旨，本着提升空间美学，
将艺术与生活完美结合，
提供一站式天花造型与墙面装饰之建议方案。

经营理念

创新、专业、诚信。
从研发团队之成立至
设计、制图、打样、雕塑、制模
等各项工作，
因循渐进的为客户提升产品质量，
融入家居生活品味。
雅缴全面采用环保材料，应用于装饰建材，
不仅美观、舒适、也等同安心。

绿色生活、感受雅缴

雅缴产品系列采用耐用性很强的美国进口
特种聚氨脂合成原料，不断提升生产技术
和结合我们最强的专业团队及高科技生产设备，
使雅缴产品能在市场上广泛采用。
每件雅缴产品必需达至精缴多元化、立体视觉艺术
为载体的造型以整合流畅产品系列为设计主轴，
不断推陈出新，融入现代经典设计风格。
雅缴产品能抗蛀、防潮、不发霉、易于清洗，永保如新。
不受天气变化而变形弯曲，不脱落，不龟裂，耐用高。
质轻易搬运，损耗率极低。
具弹性，能配合工程弧形天花造型。
施工简便，可刨、可粘、可钉，施工容易。
产品表面可涂装任何颜色涂料。
凭借其卓越成就与锐意进取的精神，
雅缴精缴建材自1993年以来
便成为全国建筑装饰业内的领导品牌之一。

接 • 点

过去 • 擦身而过 PAST • PASS

现在 • 有缘相遇 PRESENT • TOGETHER

未来 • 共同创建 FUTURE • COOPERATE

雅缴 •

You

咨询及客服 联络人：戴小姐(86) 15018954885　QQ:2386989654　邮箱：2386989654@qq.com
广州（天河）：广州市天河区广州大道中 85号 红星美凯龙全球家居生活广场二楼 B8010_2 铺
广州（南岸）：广州市荔湾区南岸路 30号 广州装饰材料市场 B栋.005 铺
深圳（坂田）：深圳市龙岗区坂田街道坂雪岗大道 163号 P栋一楼 3号
WWW.tip-top.hk

Shenzhen　Guangzhou　Hong Kong

深圳　广州　香港

过程 · PROCESS

3.Carving
原型雕塑

4.As-built
实现

2.Our suggestions
雅缎建议

1.Your Concept
你的概念

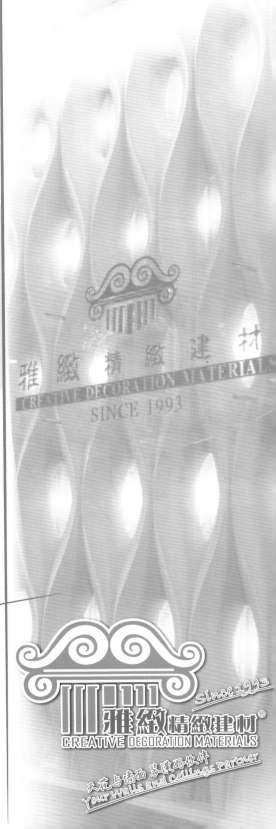

材
Ceilings and Walls Partner
你的天花与墙面好伙伴!!!
诚邀阁下 携手合作 共同创建 完美项目
We cordially invite you to cooperates any new project

雅缎精缎建材
CREATIVE DECORATION MATERIALS
天花与墙面 装饰好伙伴
Your walls and ceilings Partner
SINCE 1993

倫勃朗家居
Rem Brandt *Furniture*

24K鍍金歐式家具 • 飾品
24k Gold Plating Furniture And Decoration

New costly. New trend

新奢华 . 新风尚

奢华非凡 唯美艺术
COSTLY SPECIAL AESTHETIC ART

伦勃朗家居配饰
24K 镀金家居饰品彰显高贵品质

为您的家，我们提供更多饰品：吊灯、壁灯、台灯、
落地钟、挂钟、台钟、花架、衣架、饰品架、餐车、屏风、烛台、烟盅、果盘、杂志架等，还有精心定
制的床垫、床上用品、地毯、木皮画等配套品。

For your home we offer more accessories:chandlier,wall lamps,table lamps,floor clock,table clock,flower racks,clotses hangers,jewelry shelf,dining car,candle,smoke
pots,fruit tray,magazine rack,etc.as well as carefully.Custom mattresses,bedding,carpet,wood paintings,and other ancillary products.

佛山市顺德区伦勃朗家居有限公司
Foshan city shunde district Rembrandt
furniture CO.,LTD

地址：中国广东省佛山市顺德区龙江镇旺岗工业
区龙峰大道 43 号
Add: No. 43 Longfeng Road.Wanggang Industrial
Zone, Longjiang Town.Shunde District. Foshan
City Guangdong Province. China

电话：86-757-23223083   23870993
传真：86-757-23226378   23870997
邮箱：sales@rembrandt.com.cn
网址：www.rembrandt.com.cn

金牌亚洲陶瓷
GOLD MEDAL CERAMICS
打造中国喷墨砖第一品牌
饰界瓷砖
方寸空间即有变化万千，只
由金牌亚洲创新演绎的
全新喷墨+工艺，深层次晶变纹理，超越天然的
为您创造专
地址：佛山市南庄镇华夏陶瓷博览城陶博大道36座　电话：0757-8

制 大设计之选

HOME DECORATION SECTOR MASTERPIECE
DESIGN CHOICE

正懂得空间的人才能琢磨。

界，3.2M辽阔篇幅，

品相，唯有顶尖设计师才能驾驭的饰界瓷砖巨制，

的设计格调。

523888　传真：0757-82523833　http://www.goldmedal.com.cn

海德·饰博汇
Head Decoration Trade Plaza

海德·饰博汇
Head Decoration Trade Plaza

长三角一站式工程饰品选材基地
www.eshibohui.com

饰博汇——中国陈设艺术设计第1门户
www.eshibohui.cn

浙江省嘉兴市经济开发区桐乡大道 1235 号   86-0573-82692320

易装修
China-Designer.com
中国建筑与室内设计师网
手机客户端

易装修在手，无论你身在何方所在何处
设计师、设计图库轻松掌握！！
更炫的图片效果，更智能的搜索功能，更贴身的服务

 "易装修" IOS客户端
App store 商店下载

 "易装修" Android 客户端
各大安卓商店下载安装

iPhone版 "易装修"

用户直接通过手机苹果

商店App Store搜索下载

使用，或者通过 iTunes

软件搜索下载安装

安卓版 "易装修"

用户可以通过手机安卓

商店搜索 "易装修"

下载使用

易装修
China-Designer.com
中国建筑与室内设计师网
iPad客户端

 "易装修HD" IOS客户端
App store 商店下载

iPad版 "易装修HD"

用户直接通过手机苹果

商店App Store搜索下载

使用，或者通过 iTunes

软件搜索下载安装

让梦想飞起来！

爱浩思设计管理顾问公司

爱浩思旗帜：为设计师提供成功机遇。

爱浩思使命：为有志在设计行业发展的人员提供培训，实习和认证的基地。

爱浩思设计管理顾问公司成立于2005年，由广州爱浩斯信息科技有限公司发起并联合广州设计行业，各行业技术人才，在政府部门指导下，利用非国有资产、自愿举办、从事社会服务活动的专业社会团体组织。

我们的创新集成设计，解决方案与丰富的经验在各种各样的项目中得到高度认可，服务行业包括零售、娱乐、酒店、住宅、商业、文娱、教育和公益。我们携手国际高端设计团队，服务项目跨越中国、澳大利亚、德国、英国、意大利、加拿大、新西兰和日本。我们重视完善的沟通与健康的设计流程，鼓励多角度思维和前瞻的设计观念。寻找新视角，挑战现状。

爱浩思设计管理顾问公司坚持以"科技引导，注重实用，兼顾市场，合作共赢"为原则，以"科技、久远、和谐"为企业目标。充分发挥政府、行业组织、企业、高校的优势，协调整合国内外设计行业研究力量，实现重大项目联合申报、重点课题协同研究，集中力量解决设计行业发展的共性关键问题，发掘并发展广东省特别是珠三角地区设计行业的核心竞争力，为政府提供决策依据，为促进现代设计行业的持续、快速、健康发展，把广东建成亚太地区以设计培训、设计研发、设计生产、设计交流的枢纽中心。

联系方式：

公　司：爱浩思设计管理顾问公司

地　址：广州市天河区林和西横路107号708室

电　话：020-38467517

林　生：18688386281

邮　箱：ihaus777@ihaus.cn

@我们：@爱浩思设计管理顾问公司

爱浩思 ihaus

北京吉典博图文化传播有限公司是融建筑、美术、印刷为一体的出版策划机构。公司致力于建筑、艺术类精品画册的专业策划。以传播新文化、探索新思想、见证新人物为宗旨、全面关注建筑、美术业界的最新资讯。力争打造中国建筑师、设计师、艺术家自己的交流平台。本公司与英国、新加坡、法国、韩国等多个国家的出版公司形成了出版合作关系。是一个倍受国际关注的华语出版策划机构。

Beijing Auspicious Culture Transmission Co., Ltd. is a publication-planning agency integrating architecture, fine arts and printing into a whole. The Company is devoted to the specialized planning of the selected album in respect of architecture and art, and pays full attention to latest information in the fields of architecture and art, with the transmission of new culture, the exploration of new ideas, the witness of new celebrities as its tenet, striving to build up the communication platform for Chinese architectures, designers and artists. The Company has established cooperative relationships with many publishing companies in Britain, Singapore, France and Korea etc. countries; it is an outstanding Chinese publishing agency that draws the global attention.

Contributions 征稿
Wanted... 进行中……

室内·建筑·景观

感 谢 您 的 参 与 !

吉典文化
WWW.JI-CHINA.COM

TEL: 010-68215537 010-67533200   E-MAIL: jidianbotu@163.com   bjrunhuan@163.com

SHOW FLAT
样板间·售楼处

SALES
OFFICE

目录
CONTENTS

主案设计：
吴滨 Wu Bin
博客：
http:// 493030.china-designer.com
公司：
香港无间建筑设计有限公司
职位：
设计总监

奖项：
2011年金堂奖中国室内设计年度十佳样板间/售楼处设计
2008年 亚太室内设计双年大奖赛铜奖、佳作奖
2008年 IC.WARD2008金指环-全球室内设计大赛会所类金奖

项目：
波尔多红酒庄园
波特曼上海建业里
金地天境
建发江湾荟
华润新鸿基万象城会所

波特曼建业里 老上海
Portman JYL, Shanghai

A 项目定位 Design Proposition
从石库门到新高层公寓，再到别墅，居室的类型不断在更新。波特曼建业里正以此为切入点传承中国海派文化之内涵，又将现代生活讲究舒适、摩登与雅致的生活情怀融入其中。打造出一种既有时代特征，又饱含历史文化韵味的全新物业空间体验。

B 环境风格 Creativity & Aesthetics
以上海1930年为创意背景，在保留了波特曼建筑外在形态的同时，将传统文化之根与现代装饰艺术之魂相互交融。

C 空间布局 Space Planning
不但拥有传统海派住宅的特色，又将空间布局进行了新的划分。功能上的独立性，使用中的私密性，与公共空间讲究中国人几代同堂其乐融融的人文情怀有机相连，让空间既独立又相互关联，既保持生活的舒适性，又展现人与人交流的必要性。

D 设计选材 Materials & Cost Effectiveness
床尾毯上的中式刺绣，深色的木作饰及墙面花鸟壁纸，仿佛娓娓的诉说着拥有独特上海文化背景的主人生活。而墙面混白线条，在橄榄木色中又糅合新古典主义情怀，传统却不老气，时尚又不浮华，这正是设计师运用东方绘画的意境所在。

E 使用效果 Fidelity to Client
在市场上引起了很强烈的反响，成为了当代海派文化艺术的最佳代表。

Project Name_
Portman JYL, Shanghai
Chief Designer_
Wu Bin
Participate Designer_
HongKong seamless design elite team
Location_
Shanghai
Project Area_
408sqm
Cost_
3,500,000RMB

项目名称_
波特曼建业里 老上海
主案设计_
吴滨
参与设计师_
香港无间设计精英团队
项目地点_
上海
项目面积_
408平方米
投资金额_
350万元

主案设计：
刘威 Liu Wei
博客：
http:// 1015637.china-designer.com
公司：
武汉MV室内建筑设计顾问有限公司
职位：
设计总监

奖项：
2010年武汉十大设计师

项目：
金地澜菲溪岸
金地圣爱米伦
金地格林春岸
晋合金桥世家

武汉金地圣爱米伦K户型
Wuhan Jindi Sheng aimilun K model

A 项目定位 Design Proposition
本套住宅所针对的为高端客户群体，周边为大学城，考虑到客户需求本项目需求奢华，有文化品位的装修的装饰风格。

B 环境风格 Creativity & Aesthetics
在风格上为法式风格，但是考虑到传统法式风格过于繁复，与都市的时尚有些背道而驰，因此本作品在风格上将传统法式与现代时尚元素相结合。

C 空间布局 Space Planning
在空间关系上注重家庭交流空间的营造，家庭厅，花园露台等等更加融合家庭气氛。

D 设计选材 Materials & Cost Effectiveness
材料选择上重视自然材料，手抓纹地板，天然石材砖，以及天然大理石的应用使这个空间感觉更加自然。

E 使用效果 Fidelity to Client
本项目运营后带来了众多参观客户，本户型销售一度领先。

Project Name_
Wuhan Jindi Sheng aimilun K model
Chief Designer_
Liu Wei
Participate Designer_
Zhang Meng, Wang Chaofeng, Yu Yinghui
Location_
Wuhan Hubei
Project Area_
240sqm
Cost_
1,000,000RMB

项目名称_
武汉金地圣爱米伦K户型
主案设计_
刘威
参与设计师_
张猛、汪超峰、余映辉
项目地点_
湖北省 武汉市
项目面积_
240平方米
投资金额_
100万元

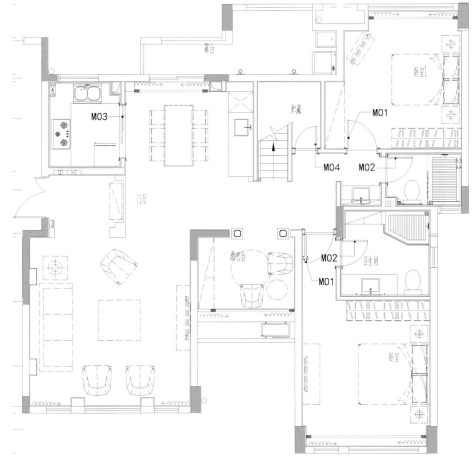

平面图

主案设计:
彭征 Peng Zheng
博客:
http:// 212024.china-designer.com
公司:
广州共生形态工程设计有限公司
职位:
设计总监

奖项:
第十六届香港亚太室内设计大奖
2011年金堂奖

项目:
南昆山十字水生态度假村室内设计
凯德置地御金沙售楼部建筑及室内设计
"风动红棉"广州亚运会景观创意装置设计
广东绿道网标识系统设计

丽丰集团中山棕榈彩虹花园别墅样板房
Palm rainbow garden villa of Lofine Group(HK)

A 项目定位 Design Proposition

中山棕榈彩虹花园占地355亩、总建筑面积逾40万平方米，将开发集别墅、洋房、酒店式服务公寓、商业中心于一体的大型高尚住宅社区。该项目市场定位突出开发商作为香港的上市企业的优势和实力，为中山市民提供了一个全新的优越居住小区，成为中山西区建设的大型商住新地标。

B 环境风格 Creativity & Aesthetics

项目建筑为现代简约风格，整体设计时尚大气，有别于一般的欧式别墅。

C 空间布局 Space Planning

别墅的室内设计从对建筑的改造开始，一楼的中庭往下延伸了一层，原本封闭的负一楼被加建了一个天井花园，负一楼室内改造为茶室、酒吧和桌球室，并形成一个内聚形的围合空间，景观被引入茶室和桌球室等空间。一楼改造后的餐厅可以容纳十人的餐桌，设有开放式厨房和超大的红酒柜。客厅和餐厅向外皆连接前后私家花园，向内连接中庭，采光和景观都很好。主人房配有超大的卫生间，干湿分区，落地浴缸就在窗边。二楼儿童房向内中庭加建了一个SKYLINE的阳光房，看到星空的天窗是空间的亮点。

D 设计选材 Materials & Cost Effectiveness

设计避免将原本天然的材料加工成人工装饰图案的常见手法，而是尽量体现材料本身原始的质感和美感。在软装方面也会配合硬装使用一些如原木、枯树枝、白色卵石、藤制品等比较有质感的饰品。

E 使用效果 Fidelity to Client

经过改造后的室内空间向内向外均有花园，采光和通风都得到改善，更多地与自然接近，更好地体现了户型的优势。

Project Name_
Palm rainbow garden villa of Lofine Group(HK)
Chief Designer_
Peng Zheng
Participate Designer_
Xie Zekun
Location_
Zhongshan Guangdong
Project Area_
410sqm
Cost_
3,000,000RMB

项目名称_
丽丰集团中山棕榈彩虹花园别墅样板房
主案设计_
彭征
参与设计师_
谢泽坤
项目地点_
广东 中山
项目面积_
410平方米
投资金额_
300万元

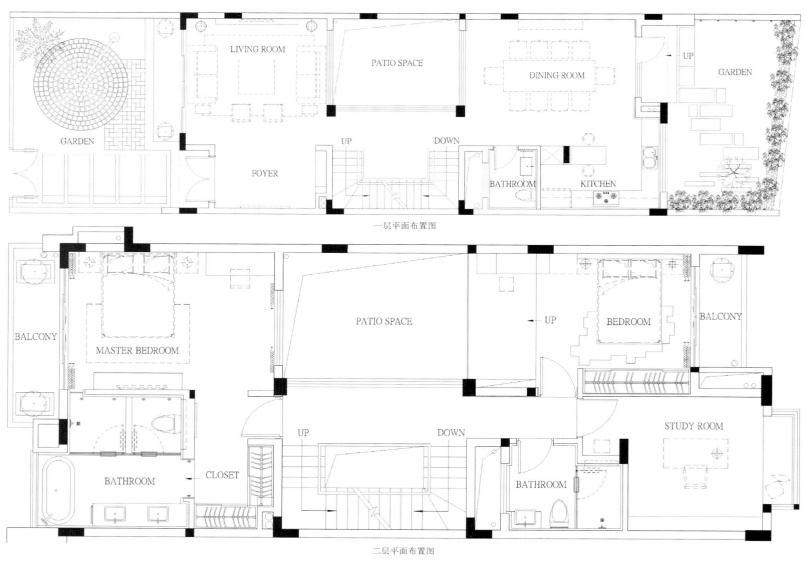

一层平面布置图

二层平面布置图

主案设计:
支鸿鑫 Zhi Hongxin
博客:
http:// 1014728.china-designer.com
公司:
重庆尚壹扬装饰设计有限公司
职位:
设计总监

项目:
招商成都东城国际销售中心
招商重庆花园城二期销售中心
无锡金科世界城销售中心
重庆重实中房千寻销售中心
常州万泽国际销售中心
金科•公园王府销售中心

招商地产——成都雍华府销售中心
Chengdu Yonghuafu Sales Center

A 项目定位 Design Proposition
该地产项目位于成都市区,本案力求为现代都市中整天疲于奔命的人们打造出一个"都市桃花源",让人们能在这里暂时停下匆忙的脚步,回归那份久违的宁静与平和。

B 环境风格 Creativity & Aesthetics
该项目整体上完整传达出甲方所要展现的低调,舒展,宁静致远的东方精神内涵。

C 空间布局 Space Planning
室内空间方正,气韵通达,且与建筑完美融合,处处散发着低调而沉稳的中国味道。局部混搭的东南亚配饰进一步传达出休闲,安逸的氛围。

D 设计选材 Materials & Cost Effectiveness
该设计用材质朴精简,于细节处充分提炼东方美学精髓。

E 使用效果 Fidelity to Client
该项目在投入使用后,取得了良好的市场口碑,获得了甲方与业主的一致好评。

Project Name_
Chengdu Yonghuafu Sales Center
Chief Designer_
Zhi Hongxin
Location_
Chengdu Sichuan
Project Area_
600sqm
Cost_
3,000,000RMB

项目名称_
招商地产——成都雍华府销售中心
主案设计_
支鸿鑫
项目地点_
四川省 成都市
项目面积_
600平方米
投资金额_
300万元

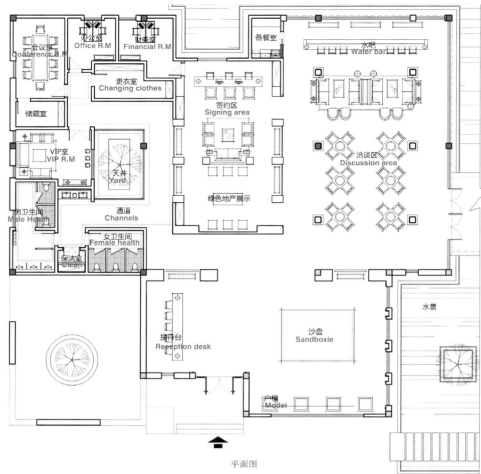

会议室
Conference R.M

必公室
Office R.M

财务室
Financial R.M

备餐室

水吧
Water bar

更衣室
Changing clothes

储藏室

签约区
Signing area

VIP室
VIP R.M

天井
Yard

洽谈区
Discussion area

男卫生间
Male Health

通道
Channels

绿色地产展示

女卫生间
Female health

保洁室
Clean

接待台
Reception desk

沙盘
Sandboxie

水景

户模
Model

平面图

主案设计：
张晓莹 Zhang Xiaoying
博客：
http:// 149174.china-designer.com
公司：
多维设计事务所
职位：
设计总监

奖项：
IAI AWARDS 2011绿色设计全球大奖
2010-2011第五届海峡两岸四地室内设计大赛金奖
2011成都建筑装饰空间艺术作品大赛金奖
2011设计新势力-十大设计师
2011金堂奖中国室内设计大奖赛十佳休闲空间设计大奖

项目：
大公园沙龙会
水墨印象-天合凯旋港售楼部
保利房产桃源新城销售会所
高新置业ICON大源国际售楼部
优品道控股优品尚东售楼部
湘银集团天门壹号售楼部
（香港）九龙城房产御园样板房

成都高新置业尚郡样板房
ICON ShangJun Sample Flat

A 项目定位 Design Proposition
该楼盘客户群体年龄为27-37岁，以一次置业为主，生活氛围强调现代感、艺术性、实用性。大面积的绿色与白色，使得整个空间清爽，透着大自然的色彩气息，表现出了一种都市生活中的"绿色影子"。

B 环境风格 Creativity & Aesthetics
有原创设计的白色毛毛沙发，有自己拍摄的建筑照片作为墙面背景，也有满墙的建筑手绘稿作为装饰。加上空间里面搭配的现代感极强的家具和灯具，使整套房间显得更年轻、时尚、都市化。玻璃饰品和镜面家具的运用，为空间氛围增加了几分活泼与通透。

C 空间布局 Space Planning
空间原次卧和阳台打通，做成了一个艺术工作区域。

D 设计选材 Materials & Cost Effectiveness
材料选择上呼应主题、绿色、白毛沙发，石材等材质软硬对比。显得更年轻、时尚、都市化、生活化。

E 使用效果 Fidelity to Client
样板房投入使用，在氛围感上呼应了楼盘风格，非常契合年轻一族，产品销售良好。

Project Name_
ICON ShangJun Sample Flat
Chief Designer_
Zhang Xiaoying
Participate Designer_
Fan Bing
Location_
Chengdu Sichuan
Project Area_
89sqm
Cost_
320,000RMB

项目名称_
成都高新置业尚郡样板房
主案设计_
张晓莹
参与设计师_
范斌
项目地点_
四川 成都
项目面积_
89平方米
投资金额_
32万元

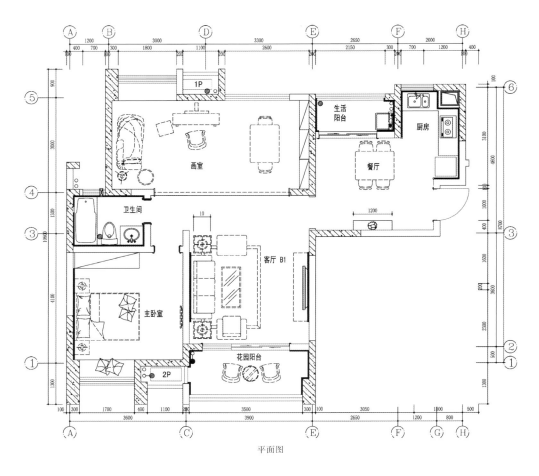

平面图

主案设计：
黄书恒 Huang Shuheng
博客：
http:// 1014616.china-designer.com
公司：
玄武设计
职位：
设计总监

奖项：
JCD日本商业空间大赏
现代装饰国际传媒奖年度最佳展示空间
IAI亚太室内设计精英奖
第四届海峡两岸四地室内设计大赛住宅空间
类特等奖、公共空间类铜奖

项目：
金华苑售楼处
台北国际花卉博览会
远雄新未来样板房
远雄新都样板房
远雄新都售楼处

成都东大街宏誉地产样板房
Chengdu East Street Show Flat

A 项目定位 Design Proposition
本作品体察古典与现代交融之必然，以奔放流畅的艺术风格为基底，同时藉由空间概念的创新思考，为客户提供丰富的视觉感受，亦为古老都市的景貌，添加无限想象的可能。

B 环境风格 Creativity & Aesthetics
繁华的地域特性，与热情狂放的现代巴洛克风格，有异曲同工之妙，设计者渴望藉由流畅的艺术线条，与富有奢华感的视觉配置，服膺高端房产之市场氛围；而且，我们体察到当今的成都市已跃上国际舞台，本作品特地导入装饰主义之元素，利用内敛的色彩运用，收束现代巴洛克的过度豪奢，在富庶之中，透露几许质朴气息。

C 空间布局 Space Planning
原始平面设定为客厅与餐厅分隔，设计者特别打通两个空间，这个突破思维框架的做法，使得整体视觉更加开阔。

D 设计选材 Materials & Cost Effectiveness
利用镜面与金属质感材料，营造出堂皇明亮的感觉，衬托室内的简单色彩，同时增加了视觉深度与广度。

E 使用效果 Fidelity to Client
"创意样板房"的定位，与紧密贴合的设计策略——以多元风格的视觉效果，与极富新意空间规划，使业主与访客同感惊艳。

Project Name_
Chengdu East Street Show Flat
Chief Designer_
Huang Shuheng
Participate Designer_
Hu Chunhui, Zhang Hedi, Yang Huihan
Location_
Chengdu Sichuan
Project Area_
200sqm
Cost_
2,800,000RMB

项目名称_
成都东大街宏誉地产样板房
主案设计_
黄书恒
参与设计师_
胡春惠、张禾蒂、杨惠涵
项目地点_
四川省 成都市
项目面积_
200平方米
投资金额_
280万元

平面图

主案设计：
姚海滨 Yao Haibin
博客：
http:// 816176.china-designer.com
公司：
深圳市砚社室内装饰设计有限公司
职位：
总经理

奖项：
2006年中国（上海）国际建筑及室内设计节最佳卫浴空间奖
2011年金堂奖中国室内设计年度优秀作品

项目：
重庆万科--锦程会所

烟台龙湖——葡醍海湾四季花厅售楼处
Yantai Banyan Bay Sales Center

A 项目定位 Design Proposition
海边度假别墅。

B 环境风格 Creativity & Aesthetics
现代东南亚风格。

C 空间布局 Space Planning
超高的挑高空间。

D 设计选材 Materials & Cost Effectiveness
运用木材，亚麻布艺。

E 使用效果 Fidelity to Client
良好。

Project Name_
Yantai Banyan Bay Sales Center
Chief Designer_
Yao Haibin
Location_
Yantai
Project Area_
1500sqm
Cost_
2,000,000RMB

项目名称_
烟台龙湖——葡醍海湾四季花厅售楼处
主案设计_
姚海滨
项目地点_
烟台
项目面积_
1500平方米
投资金额_
200万元

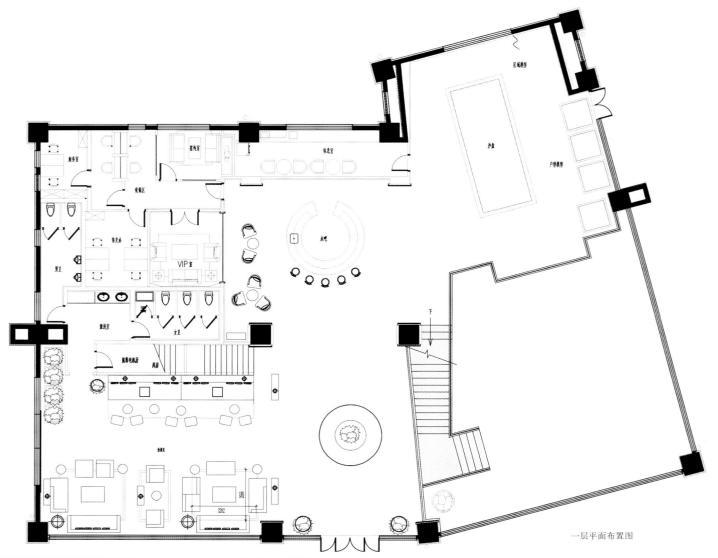

一层平面布置图

主案设计:
赵益平 Zhao Yiping
博客:
http://448003.china-designer.com
公司:
湖南美迪装饰公司
职位:
美迪装饰"赵益平工作室"主笔设计
美迪装饰大宅设计院创意总监

奖项:
2011年金外滩室内设计大赛最佳商业空间优秀奖
2011年IAI AWARD绿色设计全球大奖最佳方案设计、绿色环保大奖、优秀奖
2011年第二届中国国际空间环境艺术设计大赛(筑巢奖)三等奖
2011年金外滩室内设计大赛最佳概念设计优

秀奖
2010中国室内设计封面人物
2010年金外滩室内设计大赛最佳概念设计优秀奖
项目:
长沙茶汇会所   访佛
筑光砌影   格舍
秩序的表情   方圆道

棱丽
Beautiful angle

A 项目定位 Design Proposition
此案为喧嚣闹市区稀有景观楼盘的样板间,定位于都市精英们喜爱的时尚都市现代化主义。

B 环境风格 Creativity & Aesthetics
设计师通过细腻而优雅的细节设计,让这拥有独特地理优势的空间拥有完美极致的样板表现。菱形立面体有序地穿行于空间的每个角落。

C 空间布局 Space Planning
高光折射让原本朴素的白色极富生命的高贵起来,配上同品质的炫银及香槟金的材质与饰品,让设计多元化在空间里相互碰撞、相互融合。

D 设计选材 Materials & Cost Effectiveness
空间表现上满足都市精英们对当代家居的品质需求,与其拥有一种不期而遇的心有灵犀!

E 使用效果 Fidelity to Client
业主十分满意。

Project Name_
Beautiful angle
Chief Designer_
Zhao Yiping
Location_
Changsha Hunan
Project Area_
130sqm
Cost_
400,000RMB

项目名称_
棱丽
主案设计_
赵益平
项目地点_
湖南省 长沙市
项目面积_
130平方米
投资金额_
40万元

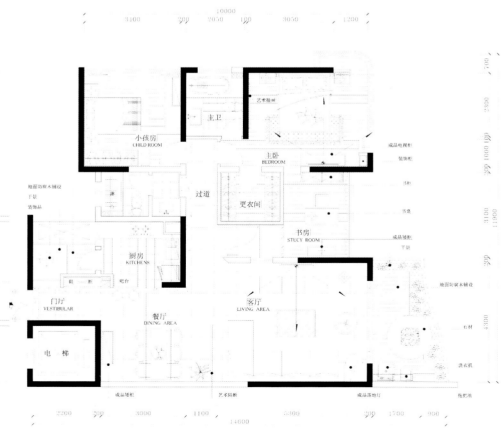

平面布置图

主案设计：
王开方 Wang Kaifang
博客：
http://872080.china-designer.com
公司：
王开方工作室
职位：
设计主持

奖项：
"中国时代杰出艺术家"称号
日本NASHOP灯光设计奖
亚洲PINUP室内设计办公空间金奖
中国年度酒店原创设计奖
中国年度色彩环境艺术奖
"金外滩奖"最佳概念设计奖
最佳材料应用奖

项目：
北京友谊宾馆友谊宫   北京亚奥国际酒店
人民大会堂一段餐厅   北京Nest俱乐部
钓鱼台18号楼   紫金城大宅
丹东中央公园开发区   天津天地烩会所
杭州圆通寺佛文化景区
延庆夏都会议中心
北京市人民检察院

北京东管头回迁房样板间
Showroom of Beijing Dongguantou Move-back Home

A 项目定位 Design Proposition

过老百姓的正常日子；平凡、舒适、尊严！让家有温度有时间感，是生活和生命的承载。并从多角度多方式地呈现环保意识和低碳生活。

B 环境风格 Creativity & Aesthetics

空中四合院，与自然交融的现代北京味儿，花鸟宠物生机蓬勃，通风明亮、润泽舒适。自在、自然、自信、自知！

C 空间布局 Space Planning

平面格局能改变生活方式。"可繁殖的细胞"的理念应用，实现空间的交流和渗透，实现三代同堂的和谐共融、相互尊重。

D 设计选材 Materials & Cost Effectiveness

从最科技最昂贵的马桶，到最普通最朴素的瓷砖，看当代价值观和人文关怀。

E 使用效果 Fidelity to Client

等待时间检验，社会评判。

Project Name_
Showroom of Beijing Dongguantou Move-back Home
Chief Designer_
Wang Kaifang
Location_
Fengtai Beijing
Project Area_
125sqm
Cost_
380,000RMB

项目名称_
北京东管头回迁房样板间
主案设计_
王开方
项目地点_
北京 丰台区
项目面积_
125平方米
投资金额_
38万元

平面图

主案设计：
陈颖 Chen Yin
博客：
http:// 157932.china-designer.com
公司：
深圳秀城设计顾问有限公司
职位：
设计总监

奖项：
2010年获"09年度中国设计业光华龙腾十大杰出青年提名奖"
2010年获"金堂奖2010年年度十佳办公空间设计作品"第一名
2010年获"国际空间设计大赛---艾特奖最佳办公空间设计提名奖"
2010年秀城设计公司获2010年第五届中国

（深圳）国际室内设计文化节"大中华区最具影响力设计机构奖"
2011年获"金堂奖2011年年度办公空间优秀设计作品奖"

深圳|KINGZONE售楼中心
Shenzhen KINGZONE Sales center

A 项目定位 Design Proposition
设计单纯的"舞台布景"从混杂的城中村背景脱颖而出。

B 环境风格 Creativity & Aesthetics
与同类型售楼处比较，形式极简，柔软雕刻的空间让人有新奇的体验。

C 空间布局 Space Planning
围绕销售产品作为中心，组织起所有动线，普通洽谈区及深度洽谈区直接和模型区接触，便捷的动线方便顾客的挑选互动。

D 设计选材 Materials & Cost Effectiveness
GRG材料，可塑性极强。

E 使用效果 Fidelity to Client
目标受众与销售人员都喜欢这个形象独特的售楼中心。

Project Name_
Shenzhen KINGZONE Sales center
Chief Designer_
Chen Yin
Participate Designer_
Chen Guanghui, Chen Lamei
Location_
Futian Shenzhen
Project Area_
806sqm
Cost_
1,500,000RMB

项目名称_
深圳KINGZONE售楼中心
主案设计_
陈颖
参与设计师_
陈广晖、陈腊梅
项目地点_
深圳 福田区
项目面积_
806平方米
投资金额_
150万元

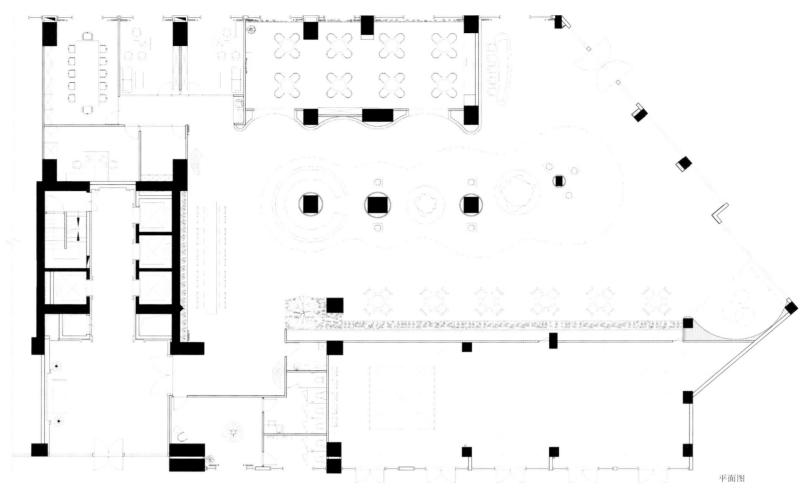

平面图

主案设计：
刘卫军 Liu Weijun
博客：
http:// 175163.china-designer.com
公司：PINKI品伊创意产业集团（香港）有限
公司&深圳市品伊设计顾问有限公司
职位：
董事长、首席创意总监

奖项：
2012年04月阳光金城别墅会所"感-时光旅
人"获得2012第七届金外滩奖最佳景观设计大奖
2011年12月西安阳光金城叠拼上户样板房
"和煦蕴逸"获"金堂奖"2011年度十佳样板
间大奖
2011年12月 阳光金城别墅会所"感-时光旅行
者的穿越"获"金堂奖"年度优秀休闲空间设计

项目：
"空间的乐章"——普瑞国际温泉酒店
"文化给予环境的自然"——通程同什湖国际俱乐部
"建筑•枫叶•情"——澳洲柏斯别墅BEACH CITY
"碧丽水岸"——波托菲诺纯水岸别墅
"海岸线的晚霞"——万科十七英里别墅
普瑞国际阳光俱乐部
香港长江实业"九龙塘物业"豪宅

花好月圆曲
Elixir Of Love Song

A 项目定位 Design Proposition
此别墅样板房位于西安阳光金城上林赋苑，叠拼上户户型，建筑风格以欧式风情为主，室内风格以风情、休闲、度假理念为主。家庭结构为夫妻加两个小孩，夫妻俩都是外籍人士，常驻西安，希望拥有一处交通便利，离尘不离城的别墅，阳光、热情、有梦想是全家人的生活指向，异国故乡的风情更是主人的生活品味指向。

B 环境风格 Creativity & Aesthetics
以欧式乡村风格为基调，取花好月圆曲作为空间意向，旨在营造出空间的闲适、惬意，突出乡村环境的恬淡与美好。以一种充满四季轮回的色彩表情，表述人与自然结合的关系，一份迷恋，一份关怀，让岁月在自然中温馨妩媚地流淌着光辉。乡村田园式的居住环境让人们充满了罗曼蒂克向往的生活。

C 空间布局 Space Planning
空间布局主要以家庭生活为导向，突出别墅家庭生活的私密性和多元化。设置在三层客厅边的小会客厅，用于接待来访的朋友，与客厅产生联系又是独立的，具有别墅空间的尺度优势和私密感。四层由原来的两个卧室规划出三个卧室空间，满足了家庭成员的空间需求。五层阁楼作为别墅特有的空间，多元化的生活在此得到很好的体现，设置有酒窖、雪茄收藏室、影视室、儿童玩乐区、儿童手工制作室。

D 设计选材 Materials & Cost Effectiveness
材料的选择上以朴质，自然和舒适为最高原则。在色彩的选择上自然清新，色彩饱和艳丽，很好地融合了乡村田园的气息，加入一些小碎花，铁艺，陶瓷制品和随处可见的绿色植物都体现着乡村风格的自然和惬意，很好地突显了"花好月圆曲"的空间意向。

E 使用效果 Fidelity to Client
在同类别墅产品中，我们设计时希望能带给客户一阵清新自然的生活趣味。整个设计过程甲方非常重视，也比较认可我们设计效果。

Project Name_
Elixir Of Love Song
Chief Designer_
Liu Weijun
Location_
Xian Shanxi
Project Area_
250sqm
Cost_
940,000RMB

项目名称_
花好月圆曲
主案设计_
刘卫军
项目地点_
陕西 西安
项目面积_
250平方米
投资金额_
94万元

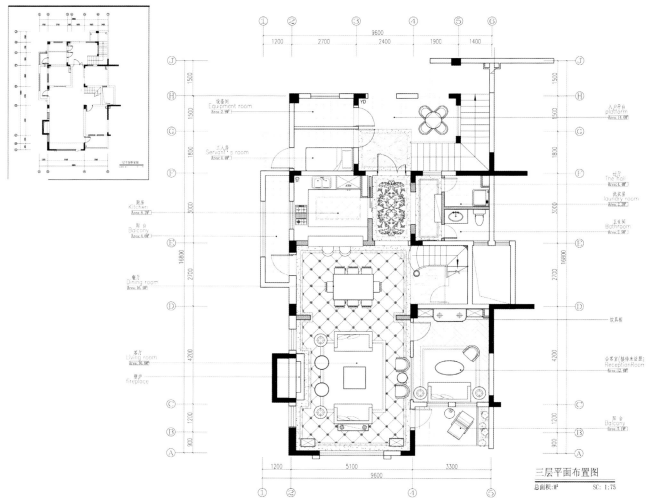

三层平面布置图
总面积:㎡   SC: 1:75

主案设计:
李剑 Li Jian
博客:
http:// 299572.china-designer.com
公司:
成都上品演一设计顾问有限责任公司
职位:
设计总监

奖项:
2009年荣获《中国室内设计行业发展20年优秀设计师》称号
2009年荣获《成都市建筑装饰行业辉煌20年优秀设计师》称号
2009年中国首届地域文化设计大赛（酒店类）金奖
2009年中国室内空间环境艺术设计大赛（展

览空间类）优秀奖
2008年成都地区室内设计大奖赛二等奖
2008年荣获《影响中国四川家居总评榜设计大师》称号
项目:
成都市青白江万贯智库　　　成大集团会所
福建晋江海峡国际机电大市场文化中心
川威集团会所

成都万贯智库
Wanguan Cultural Center

A 项目定位 Design Proposition
从40亩小地块规划、建筑、环境、室内、陈设做出统一整合设计方式。

B 环境风格 Creativity & Aesthetics
建筑、环境、室内空间整合为一的综合设计体，泛东方风格，室内外整合的不定界设计方向。

C 空间布局 Space Planning
改变传统开敞式销售中心的一般模式，封闭、围合的建筑群为客户提供艺术鉴赏和心灵感受的文化参与场所。

D 设计选材 Materials & Cost Effectiveness
室内外材料合而为一，朴素的材质贯穿始终。

E 使用效果 Fidelity to Client
为工业地产板块提出了文化地产销售方向。

Project Name_
Wanguan Cultural Center
Chief Designer_
Li Jian
Participate Designer_
Liu Hongjun
Location_
Qingbaijiang Chengdu
Project Area_
8,000sqm
Cost_
20,000,000RMB

项目名称_
成都万贯智库
主案设计_
李剑
参与设计师_
刘虹君
项目地点_
成都市 青白江区
项目面积_
8000平方米
投资金额_
2000万元

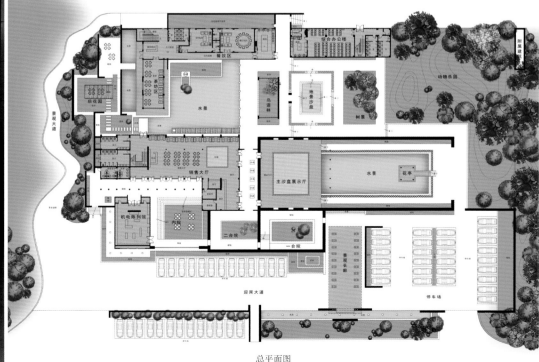

总平面图

主案设计：
谢柯 Xie Ke
博客：
http:// 369506.china-designer.com
公司：
重庆尚壹扬装饰设计有限公司
职位：
总经理

项目：
招商成都东城国际销售中心
招商重庆花园城二期销售中心
无锡金科世界城销售中心
重庆重实中房千寻销售中心
常州万泽国际销售中心
金科·公园王府销售中心
上海招商海延板示范单位设计

招商地产——武汉雍华府销售中心
Wuhan Yonghuafu Sales Center

A 项目定位 Design Proposition

本案楼盘位于城市新兴区域，属于中小面积楼盘，定位于追求生活品质的都市年轻人。本案例定义为新东方风格。卢铿先生曾经说过，"集传统意识与现代理念，汇东方哲学与西方艺术观为一体的新东方主义艺术观，将可能成为中国人在世界上说话并感动世界的一种重要'武器'"。当今中国，传统文t上来说从来都是一个能够海纳百川、兼容并受的国度，因此，"新东方风格"成为了对传统文化的执着以及对外来文化的积极响应的一种设计思想。

B 环境风格 Creativity & Aesthetics

作为"新东方风格"，我们大量运用了现代化的材质对传统建筑的"框景"进行了诠释，结合空间体积、块面的建筑语汇，在展现国际化、都市化的现代生活情趣的同时，也是对含蓄、内敛的传统东方文化的传承。

C 空间布局 Space Planning

空间划分上，我们运用了东方文化的"隔景、障景、框景、透景"等手法来分隔组合空间，并与销售中心功能化需求紧密结合，整体感受视觉流畅、隔而不绝，增强了空间的趣味。

D 设计选材 Materials & Cost Effectiveness

本案大量选用了当地的天然石材、木质，传递出现代、时尚的空间感受，提升了整体品质；同时较多地采用了肌理乳胶漆的墙面作为对传统东方文化的诠释，降低了工程造价。

E 使用效果 Fidelity to Client

业主十分满意。

Project Name_
Wuhan Yonghuafu Sales Center
Chief Designer_
Xie Ke
Location_
Wuhan Hubei
Project Area_
951sqm
Cost_
2,560,000RMB

项目名称_
招商地产——武汉雍华府销售中心
主案设计_
谢柯
项目地点_
湖北省 武汉市
项目面积_
951平方米
投资金额_
256万元

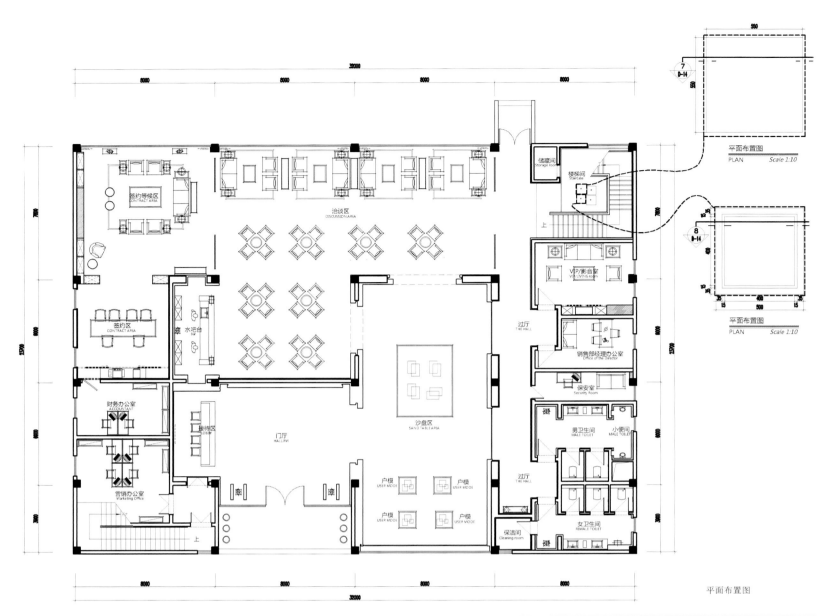

平面布置图

主案设计：
余霖 Yu Lin
博客：
http:// 463406.china-designer.com
公司：
广州市东仓装饰设计有限公司
职位：
首席设计执行官

奖项：
2011年CIID室内建筑协会办公类金奖
2011年金堂奖中国室内设计办公类金奖
2011年CIID室内建筑协会文卫类铜奖
2011年APIDA办公空间类金奖
2011年IAI公共空间类金奖
2010金堂奖公共空间会所类金奖
2010全球金指环 商业空间类银奖

2010亚太设计大奖公共空间入围
2010第五届海峡两岸工程类作品金奖
2010 中国室内设计大赛商业类银奖
项目：
成都温江区医学城总招商处（合一庭会所）
创意亚洲综合楼室内设计   客家缘会议酒店（五星）
五洲情非遗酒店（五星）   福州197.1980.3950样板间
成都置信集团办公楼/综合休闲会馆   LOLA企业总部/LOLA总部展厅

销售中心——FOREST
FOREST Sales Center

A 项目定位 Design Proposition
位于广佛交界处的新兴投资地产板块的展销中心售楼部。

B 环境风格 Creativity & Aesthetics
Forest是种企图，希望在销售情绪的对持中表现环境的缓冲，同时亦是对于智城蓝图更浪漫的诠释与
指向。

C 空间布局 Space Planning
意思的是Forest当中的幽灵球，被设计师戏称为tears。

D 设计选材 Materials & Cost Effectiveness
新颖十足。

E 使用效果 Fidelity to Client
效果不错。

Project Name_
FOREST Sales Center
Chief Designer_
Yu Lin
Location_
The Junction at GuangZhou and Foshan
Project Area_
1,350sqm
Cost_
4,000,000RMB

项目名称_
销售中心——FOREST
主案设计_
余霖
项目地点_
广州佛山交界处
项目面积_
1350平方米
投资金额_
整体商业楼投资400万元

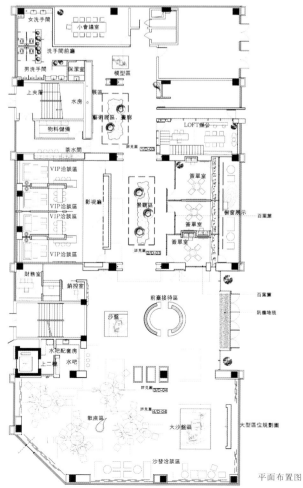

平面布置图

主案设计：
张灿 Zhang Can
博客：
http:// 472103.china-designer.com
公司：
四川创视达建筑装饰设计有限公司
职位：
创作总监

奖项：
2009 年2009 "照明周刊杯" 中国照明应用
设计大赛成都赛区 金奖
2009年 2009 "照明周刊杯" 中国照明应用
设计大赛全国总决赛会所类二等奖
2009年获得中国建筑学会颁发的 "1989-2009
中国室内设计二十年" 杰出设计师荣誉称号
2011年金堂奖十佳办公空间作品奖、金堂奖

十佳公共空间作品奖。
2011年CIID第十四届中国室内设计大奖赛银
奖、铜奖
项目：
周大福重庆旗舰店   面包新语仁恒店
四川教育学院艺术楼   澳洲湾样板间
德阳高尔夫会所   澳洲湾售楼部
上海诺华办公楼

九龙仓时代1号成都销售中心

Wharf Era-1 Sales Center in Chengdu

A 项目定位 Design Proposition

这是一个非常小型的销售中心，作为一个在成都最主要的CBD中心地带的几万平方米的超级甲级写字楼，却采用一个只有200多平方米销售大厅来承担，那是需要有多么强大的设计语言来表述才能承受啊，对设计的考究和预期将是不言而喻的。

B 环境风格 Creativity & Aesthetics

设计语言的研究成为整个设计的成败关键，我们在这样的空间里，说得越多，就越显得苍白。是否应该是用最少的设计语言，最简单的色彩关系来体现才是最佳选择呢？事实证明我们的实践和选择是正确的。

C 空间布局 Space Planning

我们用最直接的语言表述着节奏、灯光和功能需求，现代与快速成为视觉的目的。

D 设计选材 Materials & Cost Effectiveness

纯白色的地面与黑色的墙面及楼梯成为诠释效率最简单的办法，米灰色的地毯和米色的皮椅调节着空间同人的情感关系。

E 使用效果 Fidelity to Client

设计里渗透着人性，精致里彰显着强大的空间力量。

Project Name_
Wharf Era-1 Sales Center in Chengdu
Chief Designer_
Zhang Can
Participate Designer_
Huang Hui
Location_
Chengdu Sichuan
Project Area_
320sqm
Cost_
3,200,000RMB

项目名称_
九龙仓时代1号成都销售中心
主案设计_
张灿
参与设计师_
黄蕙
项目地点_
四川省 成都市
项目面积_
320平方米
投资金额_
320万元

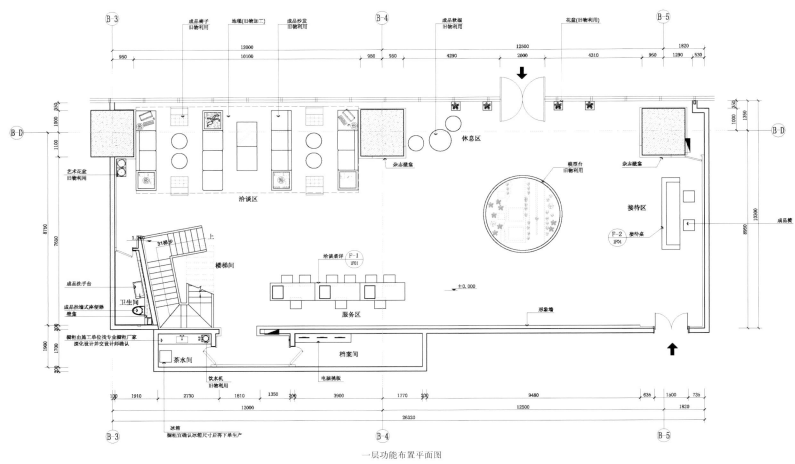

一层功能布置平面图

主案设计:
胡勤斌 Hu Qinbin
博客:
http:// 1008174.china-designer.com
公司:
7080内建筑设计事务所
职位:
设计总监

奖项:
2012年荣获第七届"金外滩"设计大奖

梓山湖领御营销中心
Zishan Lake Lingyu Marketing Center

A 项目定位 Design Proposition

此项目核心价值在于打造一种新东方语言，强调居住环境的稳定、安全和归属感，满足中国人骨子里的中式文化地方情结，应体现其创新性、生态性、时尚性、人文性等。

B 环境风格 Creativity & Aesthetics

自然和谐的山水及建筑物，专属的湖湘文化直接融入到中式文化里，让在此居住的人能感受到心灵上的共鸣与归属感，将中国的人文精神与现代人的生活需求有机结合，全方位塑造水乡环境，达到了自然景观与人文景观的融合，体现了人与自然的和谐与对话。

C 空间布局 Space Planning

借助隔断巧妙地将营销中心柔顺地划分为迎宾区、交互区、前台区、VIP区、休憩区等，营造充满湖湘本土文化气息的空间氛围，借助区域功能属性强化售楼服务界面，使客户从进门开始便能享受到最温馨的服务直至离开时仍有种"留恋忘返"的感觉。

D 设计选材 Materials & Cost Effectiveness

整个销售大厅地面则用的是产自温州泰顺的青石砖，以工字铺法展开，为我们想表达的新中式铺垫了基础。大面积的白墙，部份墙面特意挑选的色差大、手工精细的灰砖，灰石材质的墙裙及门框线的运用，通过这些元素隐性植入整个案例，很好的营造一个古色古香而又不失清新雅致的独有新中式氛围。

E 使用效果 Fidelity to Client

文化属性的内在标注，在该竞争区域内，注定使项目成为来客心中唯一极致人居楼盘的印象，从而最终实现品牌价值的专属，提升竞争力与影响力。

Project Name_
Zishan Lake Lingyu Marketing Center
Chief Designer_
Hu Qinbin
Participate Designer_
Liao Xuewu, Chen Jianxin, Zhang Weichao, Lv Lirong
Location_
Yiyang Hunan
Project Area_
1,500sqm
Cost_
1,500,000RMB

项目名称_
梓山湖领御营销中心
主案设计_
胡勤斌
参与设计师_
廖学伍、陈建新、张伟超、吕利蓉
项目地点_
湖南省 益阳市
项目面积_
1500平方米
投资金额_
150万元

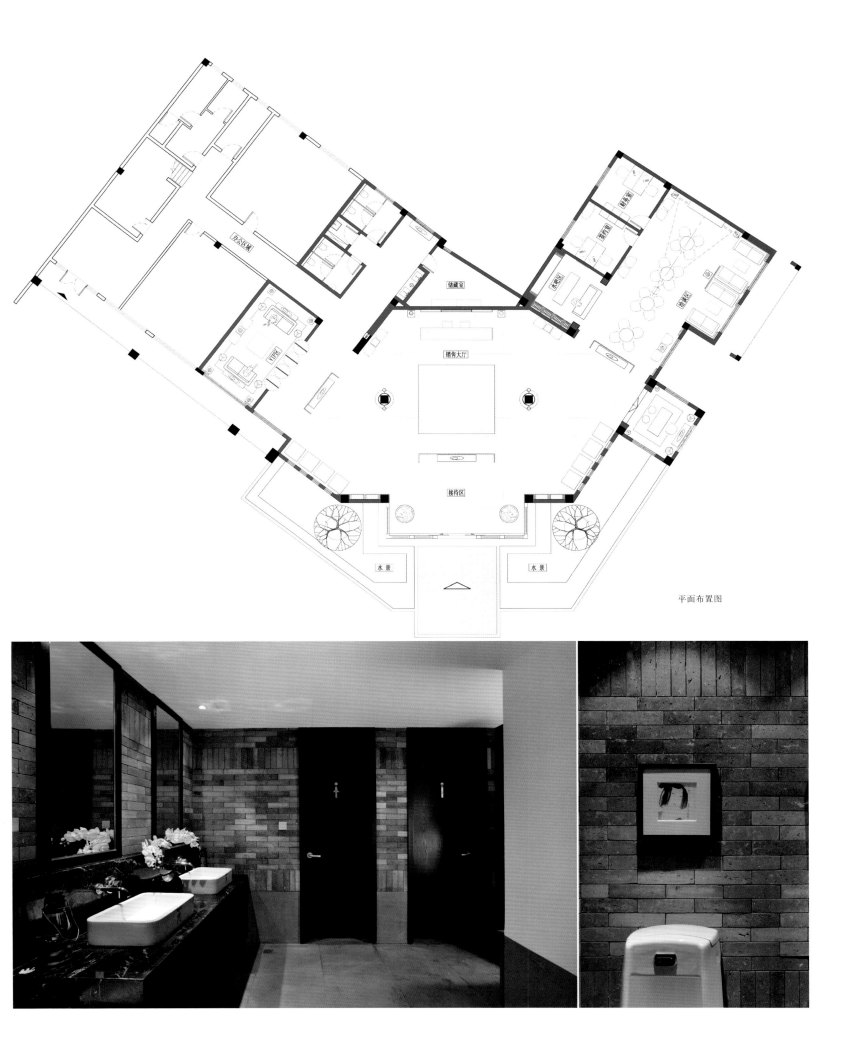

平面布置图

办公区域

VIP区

储藏室

销售大厅

接待区

水 景   水 景

财务室

水吧区

洽谈区

主案设计：
刘锐 Liu Rui
博客：
http:// 1009057.china-designer.com
公司：
大连非常饰界设计装饰工程有限公司
职位：
执行董事

奖项：
年度中国十佳软装配饰设计师称号
年度华北地区十佳配饰设计师称号
年度箭牌杯中国十大样板间设计师评选获得
设计奖
第七届中国国际室内设计双展会获得优秀奖
第七届中国国际室内设计双展大连地区选拔
赛获得一等奖

作品入选大型文献《中国创意界》优秀新锐设计师
作品（大连品姿杨丽萍养生会馆）荣获公建类三等奖
荣获2010中国年度优秀职业经理人奖
项目：
上海大都会别墅软装设计   中国银行－辽宁省分行软装设计
大连金广东海岸住宅软装设计   北京酷姿量贩KTV软装设计
大连大华御庭新公寓软装设计
大连素莲咖啡店软装设计

大连保利地产西山林语售楼处
Poly Westhill Imagination sales Center, Dalian

A 项目定位 Design Proposition

小木屋的整体陈设风格采用了欧式自然主义怀旧风格。

B 环境风格 Creativity & Aesthetics

由于小木屋本身结构就是木质，所以在陈设设计时参考了大量德州设计风格，我们把这个售楼处定位为一个品味、休闲的会所氛围。

C 空间布局 Space Planning

为了更好地突出这个空间的氛围，我们把原有的木色进行了改造，由浅色变为深色，所有家具、饰品的设计选择上都相应配合小木屋的整体色调和氛围。

D 设计选材 Materials & Cost Effectiveness

洽谈区家具采用咖色真皮沙发，单椅运用了高级灰的亚麻布料，茶几、角几采用原木色设计，同时也用了剑麻地毯，这些材质放在一起不仅颜色搭配协调，更能突出家具的品质感。

E 使用效果 Fidelity to Client

这个售楼处给人休闲空间感觉，整体设计围绕自然主义怀旧风格，让人感觉温馨、舒适。

Project Name_
Poly Westhill Imagination sales Center, Dalian
Chief Designer_
Liu Rui
Participate Designer_
Pan Yuchen
Location_
Dalian Liaoning
Project Area_
344sqm
Cost_
950,000RMB

项目名称_
大连保利地产西山林语售楼处
主案设计_
刘锐
参与设计师_
潘雨辰
项目地点_
辽宁省 大连市
项目面积_
344平方米
投资金额_
95万元

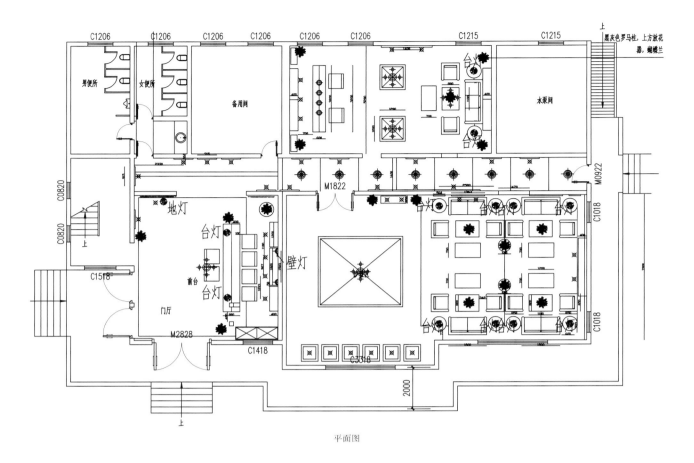

平面图

主案设计：
周勇 Zhou Yong
博客：
http://1011166.china-designer.com
公司：
成都市雅仕达建筑装饰工程有限责任公司
职位：
设计总监

项目：
成都清华坊
广州清华坊
北京优山美地A区、C区
成都蜀郡
成都青城山上善栖
中国会馆

成都中国会馆C型样板间
Openhouse C of China Hall in Chengdu

A 项目定位 Design Proposition

院落文化是中国传统住宅建筑的精髓，几千年来，院落不仅是一个具备功能的物理空间，同时还是国人的心灵归属。中国会馆在产品定位上就是努力寻找我们失去了的心灵归属，寻找当今国人的梦想家园。

B 环境风格 Creativity & Aesthetics

我们定位为"河边的院子"，在规划上我们满足了"河边"，在建筑上我们要满足"院子"。"河边"和"院子"就成为了整个项目的灵魂。

C 空间布局 Space Planning

根据功能的需要，对室内外空间进行重组合成。做到现代功能的传统演绎，但是空间的序列和感受是我们对传统的尊重和传承。

D 设计选材 Materials & Cost Effectiveness

对传统的石材和木材进行再加工和创作，根据设计的需要，本案中出现了同一材质不同厚度的板材和块材。另外对玻璃的安装工艺也做新的尝试，在廊顶使用弧形钢化玻璃的拼装。

E 使用效果 Fidelity to Client

中国会馆项目的建成，在成都地区具有相当大的影响力，业内外人士纷纷前来参观，给予高度的评价。同时，成都的媒体曾评价：该项目是中国传统建筑的文艺复兴，对当地的建筑品质有了巨大的提升。

Project Name_
Openhouse C of China Hall in Chengdu
Chief Designer_
Zhou Yong
Participate Designer_
Hong Minghao, Wu Bin, Tang Ni, Wang Wei
Location_
Jintang Chengdu
Project Area_
360sqm
Cost_
7,000,000RMB

项目名称_
成都中国会馆C型样板间
主案设计_
周勇
参与设计师_
洪明皓、吴斌、唐妮、王薇
项目地点_
成都市 金堂县
项目面积_
360平方米
投资金额_
700万元

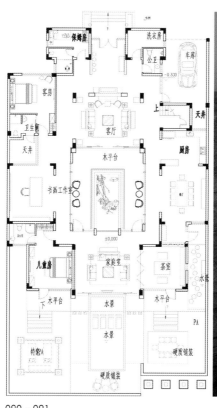

主案设计：
徐少娴 Xu Shaoxian
博客：
http:// 1012541.china-designer.com
公司：
G.l.lark & design
职位：
项目总监督及概念设计

奖项：
中国2010年上海世界博览会荣誉纪念证书
ic@2009 全球室内设计大奖酒店类别银奖
2009年广州设计周第五届中国饭店业设计装饰
大赛金堂奖
商务型酒店类别银奖
酒店大堂类别铜奖
酒店客房类别金奖

酒店餐厅类别银奖
中国十大酒店空间设计师大奖
项目：
上海世界博览会艺术顾问
香港天际万豪酒店

广州保利天悦
Bao Li, Tian Yue, Guangzhou

A 项目定位 Design Proposition

本项目集华美艺术装饰的超然气派及温馨舒适的家具氛围于一身，引领广州高端指导的新潮流。

B 环境风格 Creativity & Aesthetics

售楼处以装饰艺术风格为主导，样板间设计所体现的是一种经典奢华的风格，并将现代时尚感与居住者的生活品质相结合，继而创造出一种永恒、经典而又不失朝气的氛围。

C 空间布局 Space Planning

售楼处以室内水景为空间中心，将销售展示区及酒廊空间进行合理划分，整齐排列的罗马柱形成了艺术长廊，与两端楼梯及亭子营造稳重、低调、奢华的气氛，样板间则充分利用户型特色，将书房与客厅间隔以玻璃通透而不失宁静。

D 设计选材 Materials & Cost Effectiveness

售楼处以不同种类的大理石拼成的图案，结合大型水景吊灯，彰显层次，设计师用简洁的线条细节彰显这个空间的精致与低调奢华的气息，光亮的木饰面镶嵌不锈钢，亮丽的贝壳马赛克，客厅独特的壁炉背景墙，与吊灯交映在一起，丰富的材料质感所展示的特色与各处的设计细节闪烁的独特光芒相呼应，使客厅更具奢华，而沙发的布艺纹理及稳重的茶几等活动家私的巧妙搭配，使整个设计秉承了一贯的经典风格。

E 使用效果 Fidelity to Client

业主对于室内设计的空间划分，材料应用及整体艺术品搭配氛围给予高的评价。

Project Name_
Bao Li, Tian Yue, Guangzhou
Chief Designer_
Xu Shaoxian
Location_
Guangzhou
Project Area_
1,900sqm
Cost_
20,000,000RMB

项目名称_
广州保利天悦
主案设计_
徐少娴
项目地点_
广州
项目面积_
1900平方米
投资金额_
2000万元

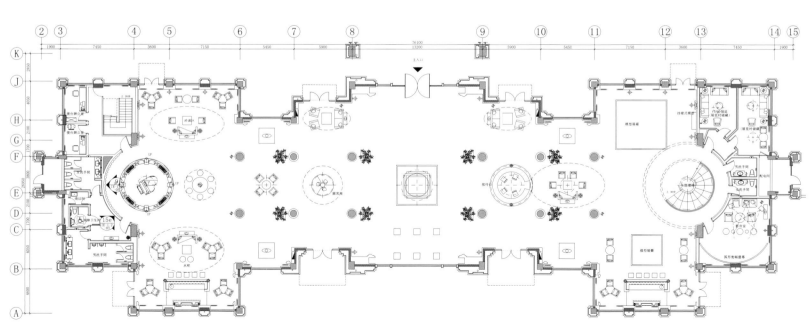

平面图

主案设计：
吴君华 Wu Junhua
博客：
http:/ 1014943/.china-designer.com
公司：
宁波市印加装饰设计有限公司
职位：
总经理

职称：
CIID中国建筑学会室内设计分会会员
ICIAD国际室内建筑师与设计师理事会会员

项目：
友邦家居
16城联邦售楼处及单身公寓精装修
宁波圣龙集团
宁波欧陆工贸
宁波美格隆办公楼

昆山五丰广场售楼中心
Kunshan Wufeng Square Sales Center

A 项目定位 Design Proposition

售楼处做为整个楼盘的重要组成部分，不仅只是单调的表达出售楼的功能，更要体现房产商的品味。

B 环境风格 Creativity & Aesthetics

设计师以简约的建筑艺术手法塑造了整体空间，强调现代建筑的艺术美感。在设计中既延伸了建筑艺术本身的风格，突出其现代、宏伟的效果。

C 空间布局 Space Planning

该售楼处分为两层，一层为销售大厅，二层为办公室区域，在功能分区上注重其合理性、呼应性、延续性，增添了空间的互动性与适时的隐蔽性。

为了体现二楼办公区域稳重的氛围，设计师选用了黑、白等色调，间接光源的应用和植物的摆设，使之显得灵活、时尚。沙发、茶几及绿色植物，则为会客区增添了空间表情，这里作为一个相对独立的区域以一种开放的姿态表达了它自己。

D 设计选材 Materials & Cost Effectiveness

每一种材料都是设计师的一种语言，它们是他借以传达某种美和某种意像的符号。设计师采用了大量的石材、木材对售楼中心进行包装，透过简单的线条和重叠的布置，精心地为售楼中心营造出高贵、细致和充满层次感的空间。

E 使用效果 Fidelity to Client

整个销售中心从整体造型到细部的材料，每个环节都紧扣其中，以简单流畅的线条、别出心裁的物料搭配和创新意念，营造出充满时代气息和感触的写意空间。

Project Name_
Kunshan Wufeng Square Sales Center
Chief Designer_
Wu Junhua
Participate Designer_
Ning Hao
Location_
Kunshan Jiangsu
Project Area_
4,500sqm
Cost_
30,000,000RMB

项目名称_
昆山五丰广场售楼中心
主案设计_
吴君华
参与设计师_
宁浩
项目地点_
江苏 昆山
项目面积_
4500平方米
投资金额_
3000万元

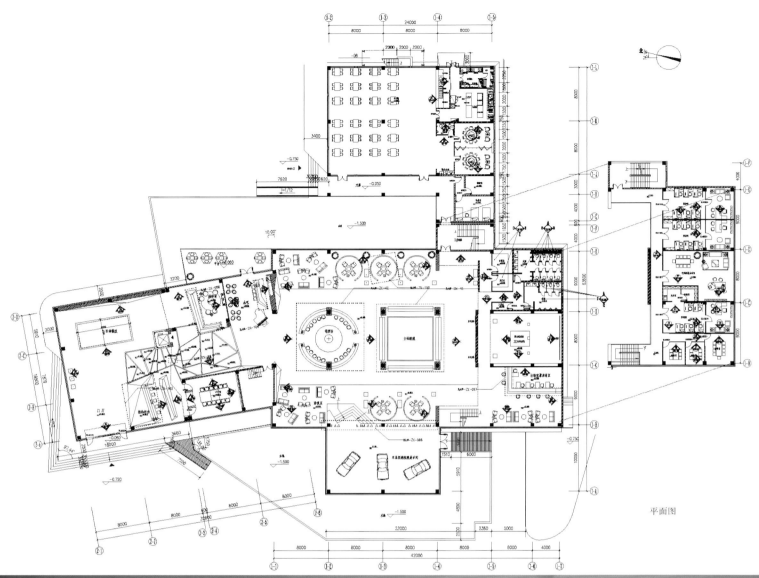

平面图

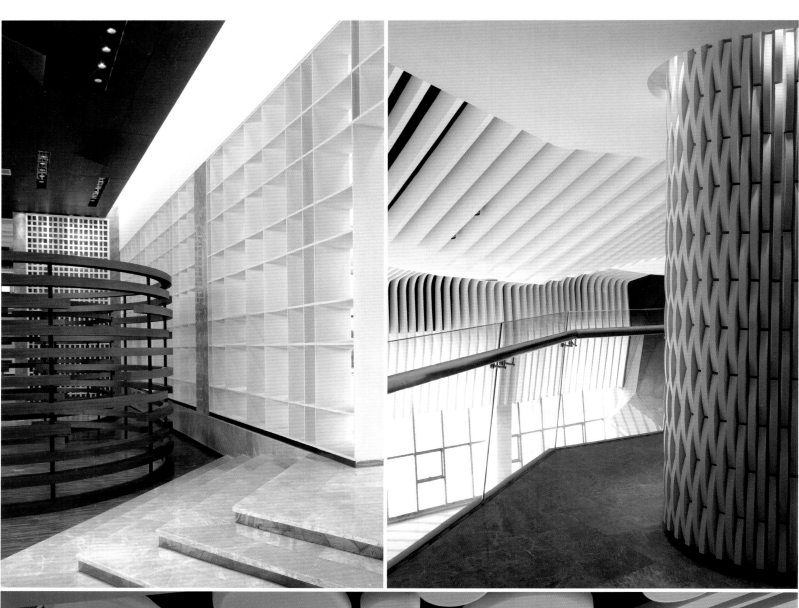

主案设计：
任萃 Ren Cui
博客：
http:// 1015142.china-designer.com
公司：
十分之一设计事业有限公司
职位：
设计总监

奖项：
09年TID
10年TID
10年亚太设计筑巢奖
11年、12年新秀设计师

项目：
Iceburg冰藏

山形和撒那
Hosanna

A 项目定位 Design Proposition
以摄影的透视效果，加大空间场景的视觉延伸。利用斜板，推挤出倒山形于天花板之上，与窗外的山形内外呼应。

B 环境风格 Creativity & Aesthetics
全白的空间，更能演绎出光影，诠释形体。故全案的雕塑性空间，重新定义了居家动线与收纳机能。

C 空间布局 Space Planning
打破原有的客厅、餐厅、阅读室、厨房，进而整合为一整体空间。让原有各自独立的空间，有了更贴近人心的互动。

D 设计选材 Materials & Cost Effectiveness
大量使用漂流木做为设计基底及软装成列，把洗练的线条，用漂流木做呼吸感的点缀，释放一天过后的压力。

E 使用效果 Fidelity to Client
颠覆市面上规矩的、对称的样板房手法，带领市场新势力。同时提升开发商形象。

Project Name_
Hosanna
Chief Designer_
Ren Cui
Location_
Taibei
Project Area_
130sqm
Cost_
700,000RMB

项目名称_
山形和撒那
主案设计_
任萃
项目地点_
台北
项目面积_
130平方米
投资金额_
70万元

MASTER BEDROOM

BEDROOM

DINNING AREA

LIVING AREA

OPEN KITCHEN

平面图

主案设计:
谭琅 Tan Lang
博客:
http:// 1015245.china-designer.com
公司:
重庆点廓空间建筑设计咨询有限公司
职位:
董事设计师

奖项:
重庆保利高尔夫豪园空中别墅获"09年中国室内空间环境艺术设计大赛"二等奖
宁波恒元英伦水岸B1户型获"09年中国室内空间环境艺术设计大赛"优秀奖
重庆保利高尔夫59-A别墅获"09年中国室内空间环境艺术设计大赛"三等奖

项目:
保利高尔夫别墅、香槟、国宾、江上明珠等楼盘样板房项目
招商地产(重庆)花园城项目样板间顶跃设计
中海投资(重庆)黎香湖别墅样板房
龙湖蓝湖郡1-6、18、19#独立别墅豪宅
宁波恒元地产英伦水岸别墅、悦居精装房等多个样板房项目
新加坡凯德置地老外滩汇豪天下精装豪宅样板房(宁波)

重庆招商花园城
Chongqing Merchants Real Estate Garden City

A 项目定位 Design Proposition
开发商对于整个楼盘的定位是要展现一个高品质、有口皆碑的社区,重在打造品牌文化。作为样板间是需要延续其品牌中心思想,让看到的客户也能感同身受。

B 环境风格 Creativity & Aesthetics
本案将风格定位为美式南加州风格,中式语汇经过提炼与南加州特有的门拱倒角形式结合,形成本案特有的装饰元素,异域风情因民族风而更显亲切,东西方文化的混搭融合,令空间氛围耐人寻味。

C 空间布局 Space Planning
由玄关进入餐厅,我们垫高了楼上的架空层,让楼上空间形成榻榻米,从而提升了餐厅的层高,同时在天棚上采用实木假梁加精致的描金梁托,用个性化奢侈的手法来描述南加州风格中自然而精致的元素,提升了空间的品质。我们采用了半弧形的天棚和半圆形假梁来减少空间的盒子感,增加空间的结构感;同时在四周增加造型圆窗,来弥补现代建筑的方正严肃以融合南加州的拱弧随意。沿楼梯至二层后楼梯口较为拥挤,设计上把书房设计为内开式双开门,让空间变得宽敞。

D 设计选材 Materials & Cost Effectiveness
质地光滑的肌理涂料、手工仿古陶瓷地砖、大胆的色彩运用,空间整体氛围亲切热烈。

E 使用效果 Fidelity to Client
作为招商花园城顶跃洋房户型,在开盘不久后此户型已大量销售,目前样板间已关闭。

Project Name_
Chongqing Merchants Real Estate Garden City
Chief Designer_
Tan Lang
Location_
Yubei Chongqing
Project Area_
248sqm
Cost_
1,430,000RMB

项目名称_
重庆招商花园城
主案设计_
谭琅
项目地点_
重庆 渝北区
项目面积_
248平方米
投资金额_
143万元

主案设计:
陈俭俭 Chen Jianjian
博客:
http:// 1015248.china-designer.com
公司:
广州市柏舍装饰设计有限公司
职位:
高级设计师

项目:
新世界•肇庆新世界花园C1-15A示范单位
美的•株洲栗雨湖项目16号01、16号07样板房

肇庆新世界花园四期样板房
Zhaoqing New World Garden

A 项目定位 Design Proposition

星湖美景尽收眼底,成就一个梦寐以求的家。全屋多个房间可欣赏星湖的自然景观,充足的采光度及良好的通风效果,冬暖夏凉的居住环境是都市人梦想中的家。

B 环境风格 Creativity & Aesthetics

全屋设计焦点落于6米高的中空客厅,利用竖条木肋元素贯通至玄关、餐厅、厨房使首层各空间更具统一性。简练的线条配搭木纹石。将室外湖景引入室内,开阔的视野是本案的特色之一。

C 空间布局 Space Planning

主人套房是本户型其中的一个独特之处:位于夹层,连同书房,使业主在独享之余,兼具私密性,提升主人空间的优越感;二层增设卫生间,满足套房需求。

D 设计选材 Materials & Cost Effectiveness

全屋以柚木饰面及实木线条搭配米色调麻质墙纸。重点区域以大纹理银海浪石材作主要装饰面,其石材纹理的中国吉祥物"祥云"寓意:缘源共生,和谐共融。

E 使用效果 Fidelity to Client

此复式样板房拥有多个露台,悠闲区,以现代中式为展示主题,结合休闲、娱乐,使业主能够充分享受该户型附近的优美生态环境,从而达到理想的展示效果。

Project Name_
Zhaoqing New World Garden
Chief Designer_
Chen Jianjian
Participate Designer_
Li Wenwei
Location_
Zhaoqing Guangdong
Project Area_
298sqm
Cost_
1,490,000RMB

项目名称_
肇庆新世界花园四期样板房
主案设计_
陈俭俭
参与设计师_
黎文伟
项目地点_
广东省 肇庆市
项目面积_
298平方米
投资金额_
149万元

厨房

入户花园

上　下

F

餐厅

玄关

客卫

上

客厅

露台

一层平面图

衣帽间

1500x2000mm

小孩房

1500x2000mm

上　下

豪华套房

套卫

过厅

客卫

下　上

主卫

衣帽间

过厅

客厅上空

主人房

书房

1800x2000mm

二层平面图

主案设计：
孙洪涛 Sun Hongtao
博客：
http:// 1015585.china-designer.com
公司：
浙江亚厦设计研究院有限公司
职位：
副总设计师、三分院院长

职称：
中国建筑装饰协会室内建筑师
奖项：
中国杰出中青年室内建筑师
浙江省优秀建筑装饰设计奖
获亚太室内设计大奖赛优胜奖

项目：
重庆万盛国际大酒店室内设计　　同方国际大酒店
骑马山高尔夫会所酒店室内设计
柒公名豪大酒店室内设计
蓝天玫瑰园会所室内设计
吉林世贸大酒店室内设计
绍兴大闸服务区酒店
野风、山会所室内设计

富阳野风——山样板房
Fuyang Yefeng Mountain Show Room

A 项目定位 Design Proposition

在多元的文化影响下，我们将古典融入到现代。

B 环境风格 Creativity & Aesthetics

踏着灰木纹石地面你会发现整个客厅与餐厅都是有一些深浅灰白色调的方形或菱形图案组合搭配的，同时交织出空间的层次和趣味。

C 空间布局 Space Planning

演变简化的线条套框中带有独特的车边茶镜，通过简洁大方的设计理念形成丰富多彩的"空间节奏感"。
设计形式较为简洁的壁炉同样完美地结合到整个空间当中，它所体现的质感及浪漫的简洁之美。
客厅内，造型简洁的浅色沙发与深色的墙面、方正而又带优美曲线的茶几和欧式花纹地毯形成视觉冲击，
达到通过空间色彩以及形体变化的挖掘来调节空间视点的目的。

D 设计选材 Materials & Cost Effectiveness

简洁的图案造型加上现代的材质和工艺，古典的装饰氛围搭配现代的典雅灯具，宣泄出奢华的时尚感。

E 使用效果 Fidelity to Client

融合新古典与现代的技术手法，彰显其气质。

Project Name_
Fuyang Yefeng Mountain Show Room
Chief Designer_
Sun Hongtao
Participate Designer_
Jiang Liangjun, Zhu Xiaolong, Xiang Jianfu
Location_
Fuyang Zhejiang
Project Area_
350sqm
Cost_
8,000,000RMB

项目名称_
富阳野风——山样板房
主案设计_
孙洪涛
参与设计师_
蒋良君、朱晓龙、项建福
项目地点_
浙江省 富阳市
项目面积_
350平方米
投资金额_
800万元

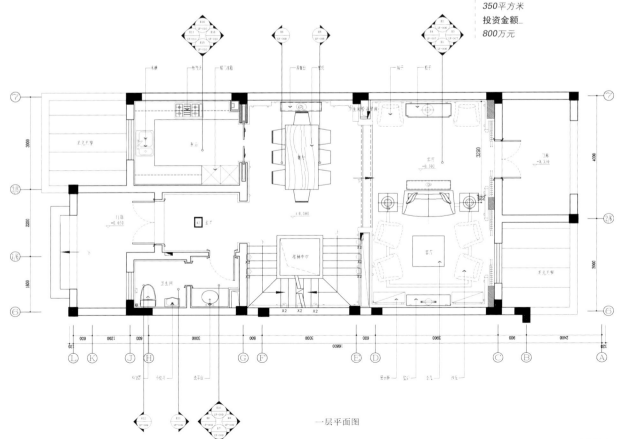

一层平面图

主案设计：
吴刚 Wu Gang
博客：
http:// 1015598.china-designer.com
公司：
北京万景百年室内设计有限公司
职位：
设计总监

奖项：
2011第四届AHF亚洲酒店峰会"年度最佳酒店设计奖"

项目：
迪拜棕榈希巴王国酒店
惠州洲际酒店、
北京丽思卡尔顿酒店
广州丽思卡尔顿酒店
合肥万达威斯汀酒店

北京远洋天著森林会所售楼处
Beijing Yuanyang Tianzhu Forest Club Sales Center

A 项目定位 Design Proposition
"天著"顾名思义是天的著作，而天的著作无疑便是圣经故事，代表着人类与天的对话。在整个设计中我们贯穿着这一主题。

B 环境风格 Creativity & Aesthetics
大堂空间中吊顶采用哥特式的风格，圆形的天窗充分引进自然光线，与地面八边形的轮廓呼应，展现出"天圆地方"这一圣经中的理念。

C 空间布局 Space Planning
墙面帷幕肆意挥洒下来，这种设计烘托出一种戏剧化的氛围，拉开帷幕便拉近了人类与天的沟通距离，创造出身置神界的感觉。

D 设计选材 Materials & Cost Effectiveness
艺术品中选用了以圣经故事为题材的油画来突出主题。而在大堂吧的空间中我们又以书吧这一主题来体现"著"，体现一种文化底蕴，给人以书香满溢的艺术气息。

E 使用效果 Fidelity to Client
哥特式神秘气息洋溢。

Project Name_
Beijing Yuanyang Tianzhu Forest Club Sales Center
Chief Designer_
Wu Gang
Participate Designer_
Ma Xudong, Zhang Xinxin
Location_
Daxing Beijing
Project Area_
1,500sqm
Cost_
7,800,000RMB

项目名称_
北京远洋天著森林会所售楼处
主案设计_
吴刚
参与设计师_
马旭东、张鑫鑫
项目地点_
北京市 大兴
项目面积_
1500平方米
投资金额_
780万元

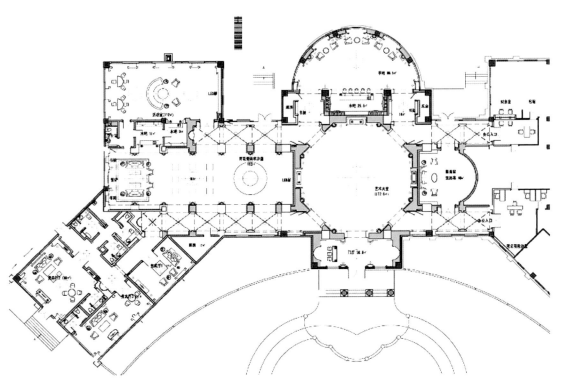

平面图

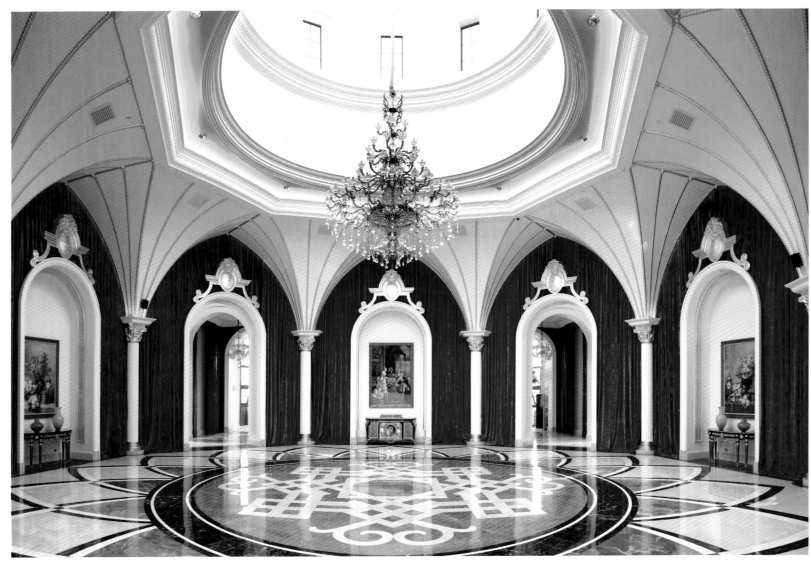

主案设计:
王晓丹 Wang Xiaodan
博客:
http:// 1015604.china-designer.com
公司:
上海同余室内设计有限公司
职位:
总经理

奖项:
2012年上海国际室内设计界"金外滩奖"最佳办公空间奖
2012 金达.维沙华水晶灯设计

项目:
外滩5号改造工程
外滩沃弗1846天台会所室内设计工程
江苏昆山希尔顿酒店
汤臣一品
汤臣湖庭别墅
昆明俊发中心
上海证大办公总部

重庆渝能阳光100城市广场 售楼处
ChongQing YuNeng Sale office

A 项目定位 Design Proposition
本项目主要的市场定位为小型SOHO办公，给更多年轻的创业者提供创新的办公环境。

B 环境风格 Creativity & Aesthetics
环境风格上，我们主要根据项目市场定位，选择了更为简练及富有视觉冲击的设计手法。

C 空间布局 Space Planning
空间布局上，我们选用了较为灵活及轻松的布置方法。

D 设计选材 Materials & Cost Effectiveness
关于选材，由于项目的定位，我们没有选用特别昂贵的材料，而是通过对材料的理解、应用，并应用和谐、对比的手法将其体现。

E 使用效果 Fidelity to Client
作品投入市场后，由于市场定位的准确，项目受到业主及受众客户的认可。

Project Name_
ChongQing YuNeng Sale office
Chief Designer_
Wang Xiaodan
Participate Designer_
Lin Guojin, Cai Hongxu
Location_
Chongqing
Project Area_
420sqm
Cost_
5,000,000RMB

项目名称_
重庆渝能阳光100城市广场 售楼处
主案设计_
王晓丹
参与设计师_
林国进、蔡红旭
项目地点_
重庆
项目面积_
420平方米
投资金额_
500万元

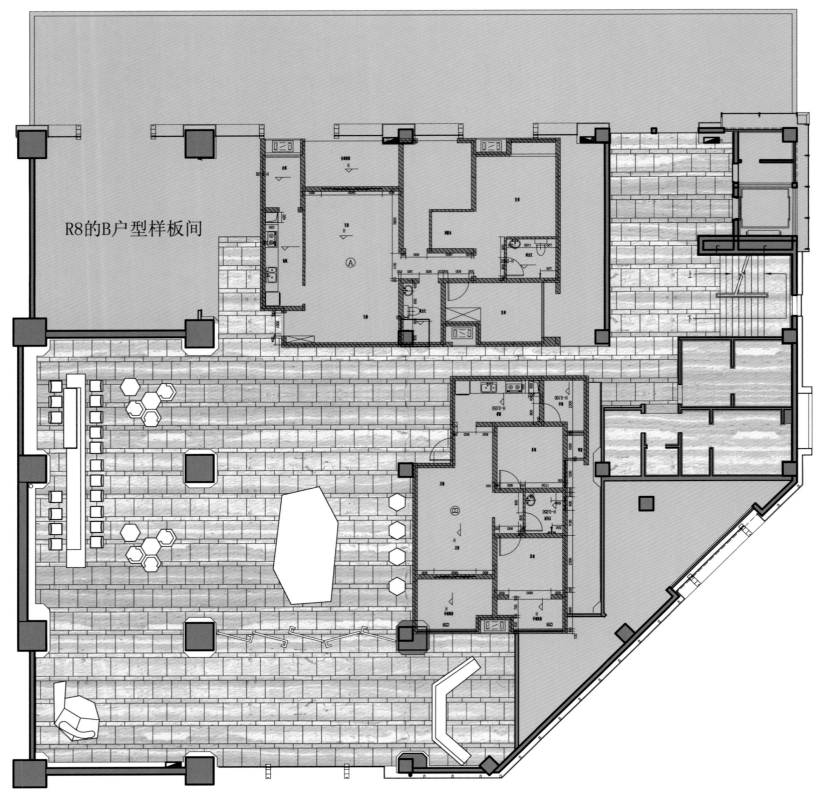

R8的B户型样板间

平面图

主案设计：
曲春光 Qu Chunguang
博客：
http:// 1015649.china-designer.com
公司：
上乘创作装饰设计事务所
职位：
设计总监

项目：
大连医科大学新校区国际学术交流中心
沈阳倚天酒店（4星级）
大连农商行总部
亿达第五郡样板间、公共空间
亿达天琴山样板间、会所
远洋集团葡萄沟别墅样板
迈氏集团龙轩会所

大连亿达天琴山会所
Dalian Yida Tianqin Mountain Club

A 项目定位 Design Proposition

亿达天琴山由亿达圣元房地产开发有限公司开发的城央山居项目。市中心、山峦、隽永、清澈是其关键词。亿达天琴山会所同时承载了售楼处与会所双重功能与期待，该会所为城中央难得一处歇山僻静之所。

B 环境风格 Creativity & Aesthetics

Art deco 与新古典主义结合出俊丽严谨优雅的气质，紧凑有限的方寸打造出意料之外的宏伟气势。

C 空间布局 Space Planning

无数遍推敲的准确比例，创造性的大胆改变共同打造了一个视觉超越实际的空间，一个犹如罗马万神庙般的穹顶俯视下的环形空间。空间感在这里通过结合了Art deco的新古典手法得以诠释。
得益于充分的沟通和前期的介入，建筑结构结合了室内设计的诉求，中央围合结构墙上托起宏伟穹顶，上下贯穿，气势磅礴，纵向囊括地下健身，一层展示，二层歇息。左右均衡，横向涵盖办公，大堂，洽谈。前后贯通，搭建出繁忙与舒适的交接。

D 设计选材 Materials & Cost Effectiveness

用材考量，色彩与质感和谐编制着一个优雅，隽秀的气质。单纯，精炼的材质选择，黑白灰石材构造出分明的层次和动人的图案。

E 使用效果 Fidelity to Client

步入其间，犹如尊享的庄园官邸。

Project Name_
Dalian Yida Tianqin Mountain Club
Chief Designer_
Qu Chunguang
Participate Designer_
Jin Xuefeng, Yu Qiang
Location_
Dalian Liaoning
Project Area_
1,369sqm
Cost_
410,000RMB

项目名称_
大连亿达天琴山会所
主案设计_
曲春光
参与设计师_
金雪峰、于强
项目地点_
辽宁省 大连市
项目面积_
1369平方米
投资金额_
41万元

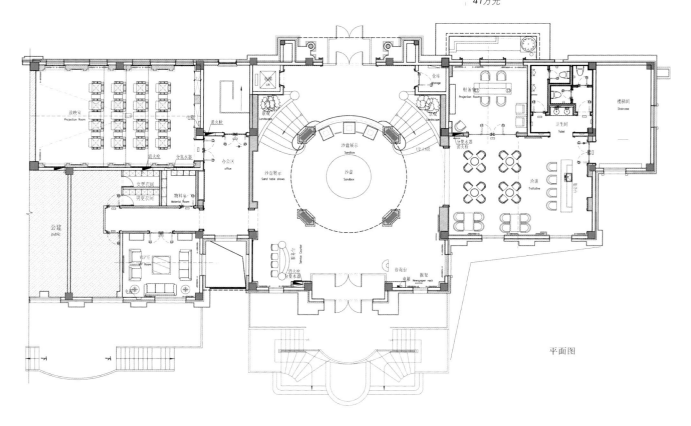

平面图

主案设计：
胡笑天 Qu Chunguang
博客：
http:// 1016254.china-designer.com
公司：
香港笑天设计策划有限公司
职位：
总监

奖项：
华耐杯入围
艾特奖（国际空间设计大奖）入围
江西十大设计师
江西十大设计机构

项目：
稻香村酒店
上海BOBO会所
北海融富海湾公寓
香港嘉豪国际会所
南昌香域蓝湾会所及样板房

南昌印象中国风样板房
Nanchang Chinese Style Impression Show Room

A 项目定位 Design Proposition
地处优越的地理位置，在室内设计和装修档次上要求体现其价值感。

B 环境风格 Creativity & Aesthetics
本案室内设计以新东方主义作为视觉定义。

C 空间布局 Space Planning
设计师在空间和视觉美感上做了精心安排，在设计中巧妙地处理了空间与空间的过渡，让参观者步步有惊喜，每一个细节都体现开发商追求高品质和打造精品的决心，在空间和细节上都体现原创。

D 设计选材 Materials & Cost Effectiveness
木质材料与大理石相结合，雅致感觉更加突出。

E 使用效果 Fidelity to Client
给参观者以往不同的中国风体验。

Project Name_
Nanchang Chinese Style Impression Show Room
Chief Designer_
Hu Xiaotian
Participate Designer_
Yang Bin
Location_
Nanchang Jiangxi
Project Area_
320sqm
Cost_
5,000,000RMB

项目名称_
南昌印象中国风样板房
主案设计_
胡笑天
参与设计师_
杨彬
项目地点_
江西省 南昌市
项目面积_
320平方米
投资金额_
500万元

主案设计：
陈立坚 Chen Lijian
博客：
http:// 475596.china-designer.com
公司：
陈立坚建筑装饰设计顾问有限公司
职位：
总经理、设计总监

奖项：
金堂奖•2011中国室内设计年度评选之"年度优秀娱乐空间设计作品"
金堂奖•2011中国室内设计年度评选之"年度优秀别墅设计作品"
金堂奖•2010CHINA-DESIGNER年度评选之"年度优秀餐饮空间设计"
中国照明应用设计大赛（广州赛区）之"会所空间一等奖"
中国（上海）国际建筑及室内设计节"金外滩奖"之"最佳酒店设计奖"
项目：
中山国际公馆　　星河湾•会所•SPA
中信君庭　　　　皇家轩尼诗会所
新北京画廊　　　兰圃
英伦公馆　　　　一河两岸沿江整饰工程

哈尔滨保利水韵长滩W14户型别墅
The Water's Fragrant Dike of Poly, Harbin

A 项目定位 Design Proposition

营造出温馨的家居环境，展现主人随意而讲究的品质生活。

B 环境风格 Creativity & Aesthetics

W14户型为美式田园风格，承载更多需求的美式田园风格设计。

C 空间布局 Space Planning

水韵长滩W14户型别墅共三层，房型结构很理想，只是将各功能空间进行调整，划出新的需求功能，红酒雪茄、早餐区及书房为新添加的区域。

D 设计选材 Materials & Cost Effectiveness

硬装在色彩上以褐色为主，材料上选用石材地面，壁纸墙面，高分子角线及部分木作处理看似普通的材质要经过仔细筛选，包括每一个细节都要认真推敲，才能为整个设计的最终效果提供有效的保障，材料的选择至关重要，地面以暖黄色为主色调，在细节处理上在每一个生活休憩的空间充分发挥了融合之美的观赏性。地面材料和饰面上压以重色，让空间体现出厚重的层次感，细节决定效果。

E 使用效果 Fidelity to Client

业主十分满意。

Project Name_
The Water's Fragrant Dike of Poly, Harbin
Chief Designer_
Chen Lijian
Location_
Harbin Heilongjiang
Project Area_
485sqm
Cost_
2,900,000RMB

项目名称_
哈尔滨保利水韵长滩W14户型别墅
主案设计_
陈立坚
项目地点_
黑龙江省 哈尔滨市
项目面积_
485平方米
投资金额_
290万元

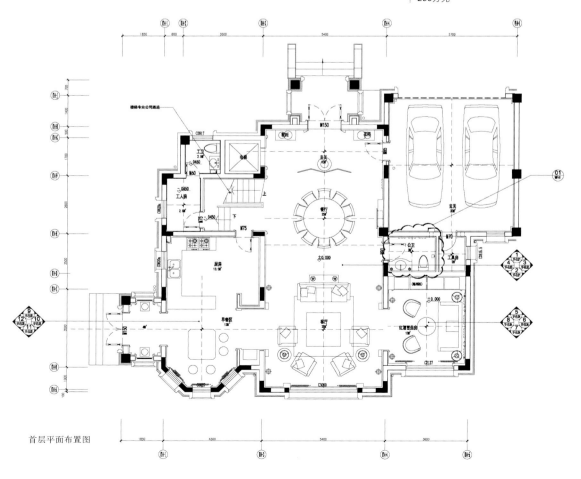

首层平面布置图

主案设计：
琚宾 Jv Bing
博客：
http:// 481336.china-designer.com
公司：
深圳市水平线室内设计有限公司
职位：
首席执行创意总监

奖项：
2011 IAI最佳展览空间设计大奖
2011 "金堂奖" 之年度媒体关注奖
2011 "现代装饰国际传媒奖" 之年度样板空间大奖
2011 "金堂奖" 之年度十佳别墅、十佳酒店空间设计作品
2011 "Idea Tops" 艾特奖之最佳酒店设计奖

2010大中华区最有影响力设计机构
2009年度中国最强室内设计企业
项目：
香水湾一号
凤凰岛
美伦酒店
晋江府
茶亭九塘

千灯湖
Qiandeng Lake

A 项目定位 Design Proposition
归塑居住空间本质，如阳光、水体、绿植、自由的空气、愉悦、美好等等有形和无形的体。

B 环境风格 Creativity & Aesthetics
延续建筑ARTDECO的建筑风格，承载古典精髓。

C 空间布局 Space Planning
室内空间的设计在解决了功能合理性之后，如何去建构东方思想中气质美学，如何将这种美学转化在空间之中，文化的气质与功能形式的建构内在秩序的一致性。

D 设计选材 Materials & Cost Effectiveness
在陈设配饰上，以东方文化背景为出发点，通过不同程度地使用东方元素（竹、瓷器、王怀庆的绘画、丝绸面料等等），而达到颠覆大家对原有的常规看法，显为材质本身和背景的对比，和文化属性的传递，使其在拥有国际面孔的同时依然带给居住者东方式情感的体验。

E 使用效果 Fidelity to Client
探寻的东方空间的气质美学，着重的是文化氛围和精神归属感的营造。

Project Name_
Qiandeng Lake
Chief Designer_
Jv Bin
Location_
Foshan Guangdong
Project Area_
300sqm
Cost_
2,500,000RMB

项目名称_
千灯湖
主案设计_
琚宾
项目地点_
广东 佛山
项目面积_
300平方米
投资金额_
250万元

主案设计：
琚宾 Jv Bing
博客：
http:// 481336.china-designer.com
公司：
深圳市水平线室内设计有限公司
职位：
首席执行创意总监

奖项：
2011 IAI最佳展览空间设计大奖
2011 "金堂奖" 之年度媒体关注奖
2011 "现代装饰国际传媒奖" 之年度样板
空间大奖
2011 "金堂奖" 之年度十佳别墅、十佳酒店
空间设计作品
2011 "Idea Tops" 艾特奖之最佳酒店设计奖

2010大中华区最有影响力设计机构
2009年度中国最强室内设计企业
项目：
香水湾一号
凤凰岛
美伦酒店
胥江府
茶亭九塘

燕西华府
Wonderland Mansion

A 项目定位 Design Proposition
以 "玉蕴" 为概念，将璞玉的气质与故宫的传统经典建筑形式，结合度假的自然感觉，透过玉石，木纹，金属，壁布等材料的砌合，表达当代东方美学气质。

B 环境风格 Creativity & Aesthetics
将当代与东方，时尚与经典，内蕴与大气，共融为独特的东方美学气质，从线条到材质，从色彩到空间布局，将精致的细节与品质融入到空间中，来展现一种精致东方精神。

C 空间布局 Space Planning
从玉的五种自然属性来入手，将玉的质地，光泽，色彩，组织，以及意蕴与空间的形式，材质，色调，景观一一对应。户外景观的自然设计，移步换景的手法，给空间带来了丰富多变的视觉延伸。

D 设计选材 Materials & Cost Effectiveness
坚韧的质地，空间中强调竖线线条与空间体块微妙的层次之美。应用漆面、玻璃、金属质感的材料，强调当代时尚与玉质的碰撞，呈现出符合当代审美情趣的空间。空间中软装方面以优雅精致的面料和丰富的材质交相辉映，呈现空间的当代与雅致。将传统建筑窗棂的形式重新解构，形成半透与不透的层次关系。

E 使用效果 Fidelity to Client
可观，可游，可赏，体现度假式的自然。

Project Name_
Wonderland Mansion
Chief Designer_
Jv Bin
Location_
Beijing
Project Area_
846sqm
Cost_
7,160,000RMB

项目名称_
燕西华府
主案设计_
琚宾
项目地点_
北京
项目面积_
846平方米
投资金额_
716万元

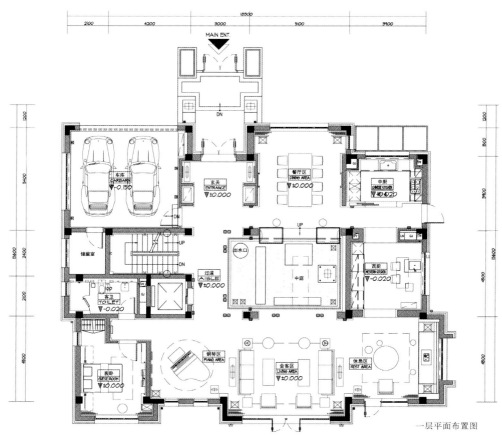

一层平面布置图

主案设计：
吴滨 Wu Bin
博客：
http://493030.china-designer.com
公司：
香港无间建筑设计有限公司
职位：
设计总监

奖项：
2011年金堂奖中国室内设计年度十佳样板间/售楼处设计
2008年 亚太室内设计双年大奖赛铜奖、佳作奖
2008年 IC.WARD2008金指环-全球室内设计大赛会所类金奖

项目：
波尔多红酒庄园
波特曼上海建业里
金地天境
建发江湾萃
华润新鸿基万象城会所

大连波尔多酒庄
Chateau de Bordeaux, Dalian

A 项目定位 Design Proposition

大连海昌的波尔多庄园以"雍容、浪漫、纯粹"的法式生活模式为主题，极力倡导"生态、康体、休闲、度假、异域风情"的生活理念，并结合东方人的生活观，将儒家文化充分融入其中。

B 环境风格 Creativity & Aesthetics

项目以当地最佳生态、旅游资源为背景，开发以高尔夫运动、康体养生、生态体验和红酒文化等于一体的精品休闲度假区。而在环境风格设计上，设计师以"流动的艺术"为灵感切入，法式浪漫主义结合新古典艺术风情，让每个空间都成为形成这套居所的有机组合。

C 空间布局 Space Planning

建筑上为纯法式庄园建筑，室内设计以生活舒适安逸，尊贵优雅为主线，让经典与时尚在同一空间自然地交汇，以现代及抽象手法重新解析法国艺术的装饰细节，又渗入东方人儒家含蓄内敛的生活主张。

D 设计选材 Materials & Cost Effectiveness

设计上，局部空间以红色为主调，辅以欧洲古典巴洛克印花壁布，犹如波尔多的赤霞珠，从天花到四周，再从家具到饰品，层叠起伏激荡着视觉的热情，引发探索的渴望。主要空间以中性色调保持典雅和谐，层叠的线条与精艺细致的手工雕花相互运用，让视觉层次分明，错落有致，融为一体。晶莹剔透的水晶灯，华贵的窗幔，法国宫廷装饰吊顶，这些都无处不体现着优雅奢华的精致生活。

E 使用效果 Fidelity to Client

这种以西式艺术为题材，以东方文化为内涵的新古典艺术表现手法，探索出了当代人们对新古典艺术的全新装饰理念与创意表现，成为如今新古典风格的新案例坐标。

Project Name_
Chateau de Bordeaux, Dalian
Chief Designer_
Wu Bin
Participate Designer_
Luo Chen,
Location_
Dalian
Project Area_
850sqm
Cost_
7,000,000RMB

项目名称_
大连波尔多酒庄
主案设计_
吴滨
参与设计师_
罗琛、香港无间设计精英团队
项目地点_
大连
项目面积_
850平方米
投资金额_
700万元

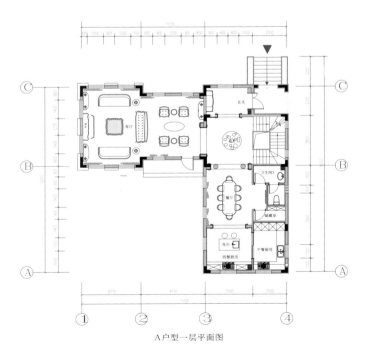

A户型一层平面图

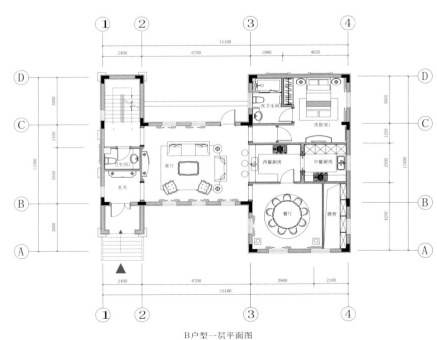

B户型一层平面图

主案设计：
陈志斌 Chen ZHibing
博客：
http:// 501795.china-designer.com
公司：
鸿扬集团 陈志斌设计事务所
职位：
创意总监

奖项：
获第15届香港亚太室内设计大奖赛样板房类
别银奖
第四届海峡两岸四地室内设计大赛住宅工程
类特等奖
"尚高杯"中国室内设计大赛商业方案类一
等奖
中国室内空间环境艺术设计大赛展示空间一

等奖
项目：
抽象水墨
私享的盛宴
长沙心舨样泊岸板间

京投银泰环球村展厅
The Sales Showroom of NEO TOWN

A 项目定位 Design Proposition
京投银泰以轨道物业与房地产完美结合而著称，是具有国际化开发理念的上市公司。

B 环境风格 Creativity & Aesthetics
携手新加坡筑土、英国宝麦蓝、澳洲伍滋贝格，以绿河、绿岛、绿波、绿堤的规划理念构筑城市绿心和中国高铁枢纽第一城。

C 空间布局 Space Planning
本展厅紧扣国际、时尚、现代、中国的主题，采用当代仿生设计理念，用钻石的概念来表达珍贵品质。

D 设计选材 Materials & Cost Effectiveness
外立面仿佛就是一片钻石富矿的象征，也隐喻着京投银泰给长沙带来的钻石品位。门里就是精致的空间，楼盘模型的外表皮成为空间的核心———颗钻石，楼盘资讯矩阵的彩带把墙面视觉作了分割，成为亮点，灯具、家具都一一精选，呼应转折面的需要，塑造一个当代时尚、气韵灵动的概念空间。

E 使用效果 Fidelity to Client
满意！

Project Name_
The Sales Showroom of NEO TOWN
Chief Designer_
Chen Zhibing
Participate Designer_
Xie Qi
Location_
Changsha Hunan
Project Area_
93sqm
Cost_
230,000RMB

项目名称_
京投银泰环球村展厅
主案设计_
陈志斌
参与设计师_
谢琦
项目地点_
湖南省 长沙市
项目面积_
93平方米
投资金额_
23万元

主案设计：
杨大明 Yang Daming
博客：
http:// 503612.china-designer.com
公司：
杨大明设计顾问事务所
职位：
设计总监

项目：
万科营销中心样板房
保利、金地样板间
广电地产会所

长沙都市兰亭售楼部
Changsha Dushi Lanting Sales Center

A 项目定位 Design Proposition
该作品建筑与室内装饰浑然一体，达到了非常好的营销作用。

B 环境风格 Creativity & Aesthetics
设计创新点：在与外观形态新颖，内部建筑结构与室内装饰巧妙结合。

C 空间布局 Space Planning
充分利用建筑的圆形结构，室内装饰也采用圆形放射状形式设计，内外高度统一。

D 设计选材 Materials & Cost Effectiveness
由于该建筑是临时建筑，该设计选材上在保证效果的同时尽可能的降低成本。

E 使用效果 Fidelity to Client
作品非常完美，得到甲方和客户的认同，同时促动了销售。

Project Name_
Changsha Dushi Lanting Sales Center
Chief Designer_
Yang Daming
Location_
Changsha Hunan
Project Area_
800sqm
Cost_
2,800,000RMB

项目名称_
长沙都市兰亭售楼部
主案设计_
杨大明
项目地点_
湖南省 长沙市
项目面积_
800平方米
投资金额_
280万元

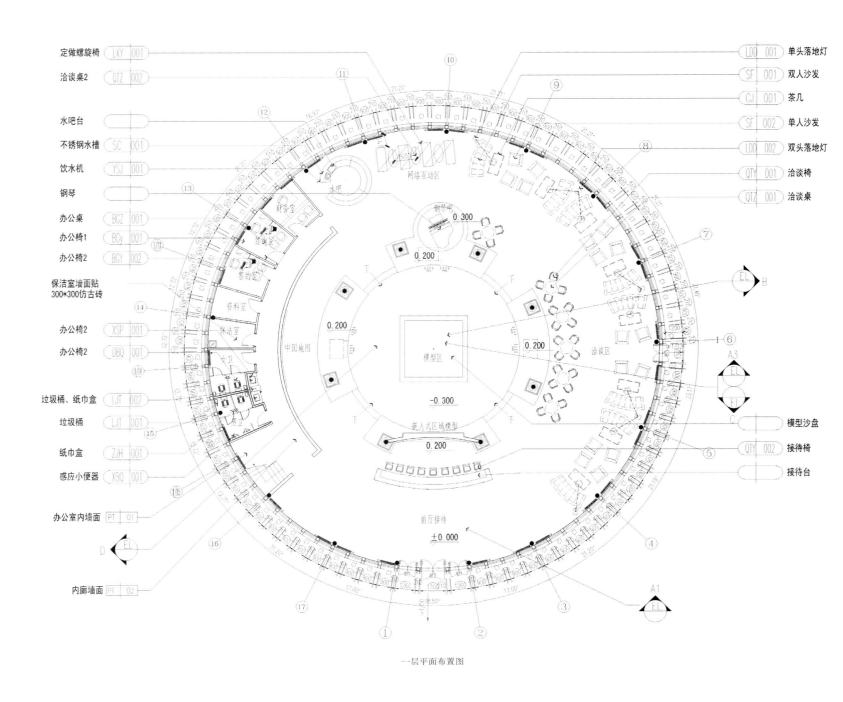

定做螺旋椅 LXY 001
洽谈桌2 QTZ 002

水吧台
不锈钢水槽 SC 001
饮水机 YSJ 001
钢琴
办公桌 BCZ 001
办公椅1 BGy 001
办公椅2 BCY 002

保洁室墙面贴
300*300仿古砖

办公椅2 XSP 001
办公椅2 DBQ 001

垃圾桶、纸巾盒 LJT 002
垃圾桶 LJT 001
纸巾盒 ZJH 001
感应小便器 XBQ 001

办公室内墙面 PT 01

内廊墙面 PT 02

单头落地灯 LDD 001
双人沙发 SF 001
茶几 CJ 001
单人沙发 SF 002
双头落地灯 LDD 002
洽谈椅 QTY 001
洽谈桌 QTZ 001

模型沙盘
接待椅 QTY 002
接待台

网络互动区
0.300
0.200
中国地图
0.200
模型区
-0.300
嵌入式区域模型
0.200
洽谈区
前厅接待
±0.000

一层平面布置图

172 - 173

主案设计：
黄少雄 Huang Shaoxiong
博客：
http:// 809332.china-designer.com
公司：
同3组设计事务所
职位：
设计总监

奖项：
公园道1号售楼处获2011年金堂奖

项目：
金门湾大酒店

尊海海洋会馆
Zunhai Sales Club

A 项目定位 Design Proposition

这是一个以海为主题的项目，建筑与室内为同一设计师完成。建筑与结构的美不单是外部的，也同样是室内的精彩部分。临时售楼建筑可为城市增色，也为建筑及室内设计探索及试验带来机会。

B 环境风格 Creativity & Aesthetics

项目外观与水环境相互彰显，水的语言巧妙地运用在整个室内空间，更加深了海的诱惑力。

C 空间布局 Space Planning

本案在空间序列上做了戏剧化的设计，参观者的视野在架空层被逐渐收窄，当到了二层时，景色瞬间变成180°，一幅辽阔的海景展现在参观者眼前。

D 设计选材 Materials & Cost Effectiveness

该建筑是临时建筑，结构上采用钢材，既能创造独特的建筑形式，当拆除时又能回收再利用，避免对环境的破坏。

E 使用效果 Fidelity to Client

项目投入使用后，由于建筑的独特性和空间组织的戏剧性，吸引了不少参观者。对楼盘销售起到很好的促进作用，得到了业主的一致肯定。

Project Name_
Zunhai Sales Club
Chief Designer_
Huang Shaoxiong
Participate Designer_
Liu Panyun, Li Lin
Location_
Xiamen Fujian
Project Area_
1,200sqm
Cost_
10,000,000RMB

项目名称_
尊海海洋会馆
主案设计_
黄少雄
参与设计师_
刘攀云、李霖
项目地点_
福建省 厦门市
项目面积_
1200平方米
投资金额_
1000万元

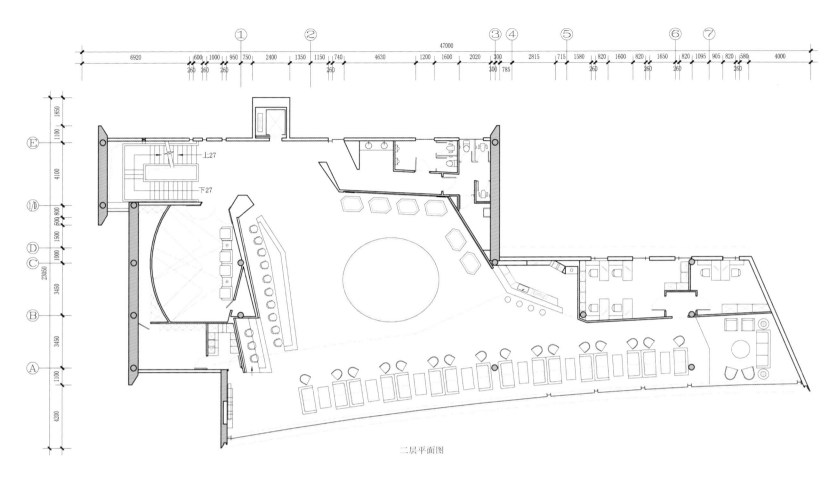

二层平面图

主案设计：
张建 Zhang Jian
博客：
http:// 820193.china-designer.com
公司：
张建工作室
职位：
负责人

奖项：
金外滩、金堂奖

石家庄天鸿尚都售楼处
Shijiazhuang Tianhong Shangdu Sales Center

A 项目定位 Design Proposition
打破传统定义。

B 环境风格 Creativity & Aesthetics
设计中，融入时间因素。

C 空间布局 Space Planning
创造流动、科技感的商业地产销售空间。

D 设计选材 Materials & Cost Effectiveness
白色，干净的材料运用。

E 使用效果 Fidelity to Client
业主很满意。

Project Name_
Shijiazhuang Tianhong Shangdu Sales Center
Chief Designer_
Zhang Jian
Location_
Hebei
Project Area_
350sqm
Cost_
700,000RMB

项目名称_
石家庄天鸿尚都售楼处
主案设计_
张建
项目地点_
河北
项目面积_
350平方米
投资金额_
70万元

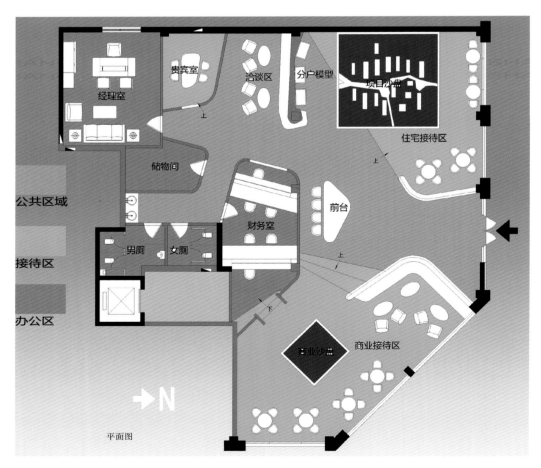

平面图

主案设计：
陈彬 Chen Bing
博客：
http:// 820822.china-designer.com
公司：
后象设计师事务所
职位：
总经理

项目：
正荣御园品鉴中心
所好轩（沌口店）
隐庐私厨

南昌正荣御园品鉴中心
Zhengrong Imperial garden Center, Nanchang

A 项目定位 Design Proposition
高端房产销售会所，以男性气质的空间为项目明确的定位。

B 环境风格 Creativity & Aesthetics
避免雷同以充满个性化的造型手法，传达设计师对Art Deco风格的全新解读。

C 空间布局 Space Planning
运用合理的动线安排和空间穿插，在一幢别墅的空间体量里营造出大尺度的空间体验。

D 设计选材 Materials & Cost Effectiveness
石料和金属的大面积运用，强调出低调奢华的男性气场。

E 使用效果 Fidelity to Client
会所投入使用后，受到一致好评，成功配合了房产销售。

Project Name_
Zhengrong Imperial garden Center, Nanchang
Chief Designer_
Chen Bing
Participate Designer_
Yang Hui, Xiong Can
Location_
Nanchang Jiangxi
Project Area_
1,864sqm
Cost_
8,500,000RMB

项目名称_
南昌正荣御园品鉴中心
主案设计_
陈彬
参与设计师_
杨慧、熊灿
项目地点_
江西省 南昌市
项目面积_
1864平方米
投资金额_
850万元

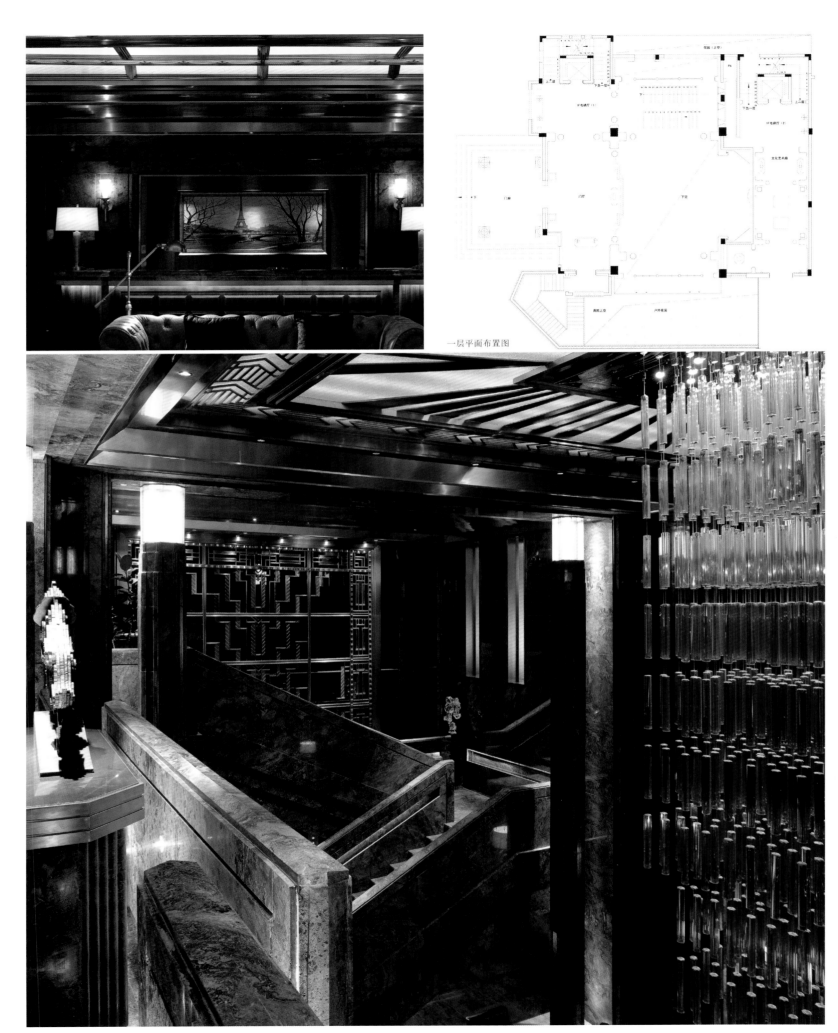

一层平面布置图

主案设计：
连志明 Lian Zhiming
博客：
http:// 872055.china-designer.com
公司：
北京意地筑作装饰设计有限公司
职位：
设计总监&创办人

奖项：
2011年PINUP金
2011年金堂奖年度媒体关注提名奖
2011年筑巢奖
2009年中国最佳酒店设计企业10强
2009年金外滩奖
2008年中国最佳酒店设计企业10强

项目：
赤峰宾馆　　　　　　金狮酒店
中铁商务广场　　　　元洲家居生活馆
丽兹行总部
LDPI办公空间
天津金泰丽湾售楼处
趣舍酒店
新泰和宾馆

天津金泰丽湾售楼处

The Tianjin Ecological Bay Sales Center

A 项目定位 Design Proposition

这一空间具有家一样的感觉，同时兼具国际化和都市感，温暖与新奇并蓄，功能性和体验感并重。它是流动的，关乎感官的，延绵、清晰、好客，并且贴心与感人。

B 环境风格 Creativity & Aesthetics

从都市肌理中生成的空间自然形态，以流动的曲线连接两层楼面作为特征，创造出连续的界面和由此所带来的连贯的空间动线。从某种意义上来说，这里的空间功能是关于人本身的——让人们一直有被包裹、被环绕的感觉。

C 空间布局 Space Planning

在建筑的内部构成中，经过划分的空间被有机地组织起来，在这些层次之间，我们可以感受到前后的渗透、上下的透叠、斜向的连接，加之光线来自于不同方位，所以，我们在任何一个地点上都可以感觉到近景、远景、中景的同时呈现。进一步来说，售楼处的外部也同时被作为内部，它们建立在与空间的立体联系上，而这些立体的联系既和景物方位有关，又和光线有关。因而，让人们对空间的体验根植于大的环境之中。

D 设计选材 Materials & Cost Effectiveness

GRG，公爵灰石材，铝格栅的大量运用充分体现了作品的主题与品质。

E 使用效果 Fidelity to Client

作品成为区域内地标性建筑，投入使用后效果理想。

Project Name_
The Tianjin Ecological Bay Sales Center
Chief Designer_
Lian Zhiming
Participate Designer_
Davide Macullo, Wang Ke, Kang Yonghui
Location_
Tianjin
Project Area_
2,000sqm
Cost_
10,000,000RMB

项目名称_
天津金泰丽湾售楼处
主案设计_
连志明
参与设计师_
Davide Macullo、王珂、康永辉
项目地点_
天津市
项目面积_
2000平方米
投资金额_
1000万元

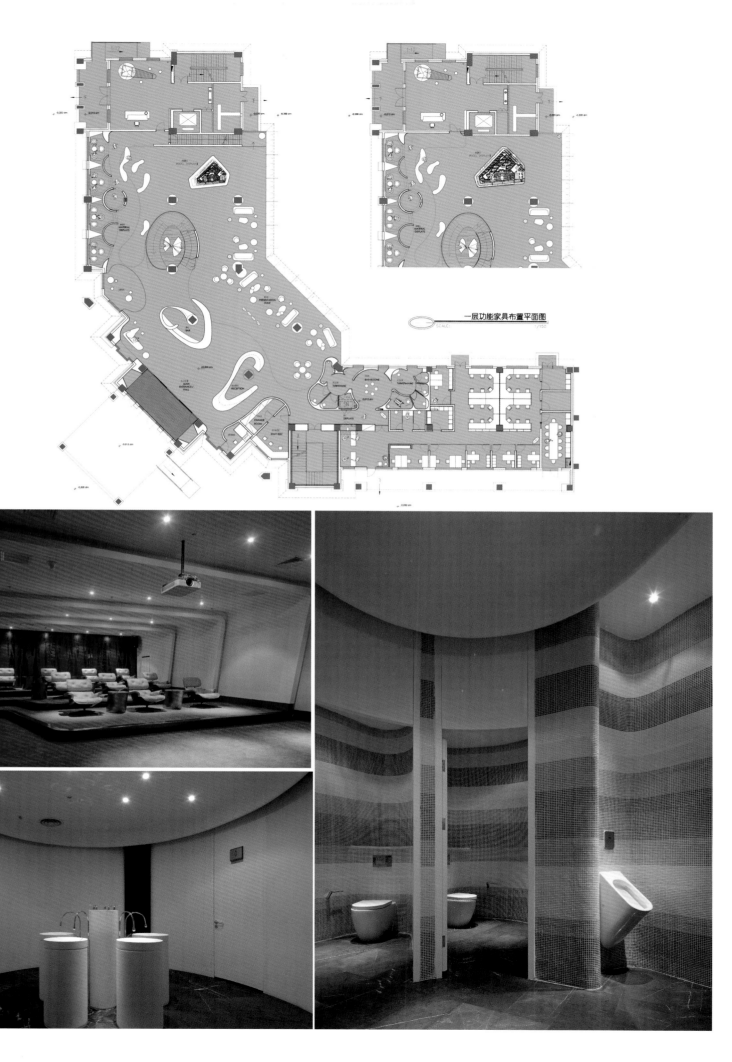

一层功能家具布置平面图
SCALE: 1/150

主案设计：
周欣宇 Zhou Xinyu
博客：
http:// 982426.china-designer.com
公司：
上海京钰室内装饰设计有限公司
职位：
设计总监

奖项：
2007年金外滩佳作
2007年第五届（2007）现代装饰国际传媒
奖"年度最具潜力设计师"
2008年iC@ward-金指环全球室内设计大奖-
银奖
2008年第16届亚太区室内设计大奖十佳

项目：
蓝之艇海洋主题餐厅
天马塔园办公室
长春美国国际学校
2010年桐乡濮院国际四星级大酒店
2010年哈尔滨市府国宾馆
2012南通中港城
2012年宁波万科金色城市

宁波万科金色城市售楼处
Sales office of Vanke Golden City, Ningbo

A 项目定位 Design Proposition

铸就新城市主义活力社区典范。全新引入4G住宅创新户型设计，以"空间更巧、品质更精、功能更多、服务更好"的崭新形象面向市场。

B 环境风格 Creativity & Aesthetics

万科金色城市，点亮集士港卫星城的生活质感与未来潜力！日新月异的投资环境，将使这里成为未来的第二个鄞州中心区。

C 空间布局 Space Planning

周边已建成了集士港行政服务中心。集士港中心小学、集士港文化艺术中心、都在规划之中，国际名品折扣店奥特莱斯和利时购物广场组成的大型购物中心也纷纷进驻，集士港即将成为真正意义上的功能齐备、服务完善的宁波市卫星城。

D 设计选材 Materials & Cost Effectiveness

在全面精装方面，万科基于对数万家庭居家生活的研究，通过标准化设计、工厂化生产、成品化拼装、系统家居集成，真正实现居家空间的量身定制。

E 使用效果 Fidelity to Client

万科金色城市，历史性的将4G住宅的理念注入全面精装中。万科4G住宅，全方位立体收纳系统，单玄关空间就有海量收藏用立方米解决平米所不及。并为每一位业主营造宾至如归的居家感受和至尊礼遇。

Project Name_
Sales office of Vanke Golden City, Ningbo
Chief Designer_
Zhou Xinyu
Participate Designer_
Jiao Fangfang
Location_
Ningbo Zhejiang
Project Area_
1,800sqm
Cost_
2,000,000RMB

项目名称_
宁波万科金色城市售楼处
主案设计_
周欣宇
参与设计师_
焦芳芳
项目地点_
浙江省 宁波市
项目面积_
1800平方米
投资金额_
200万元

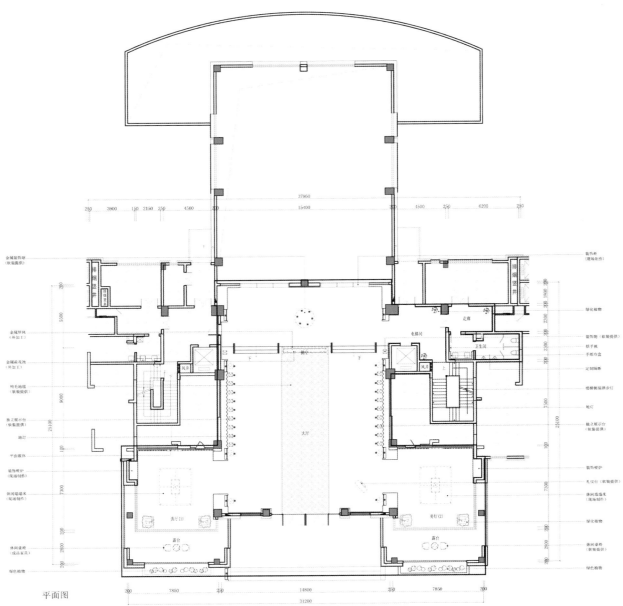

平面图

主案设计：
苏英 Su Ying
博客：
http://982469.china-designer.com
公司：
上海乐尚装饰设计工程有限公司
职位：
主案设计师

奖项：
上海万科五街坊C2意大利现代样板房刊登2012TOP装璜世界7月刊
舟山景瑞半岛湾售楼处样板间获2012上海国际室内设计节"金外滩奖"最佳商业空间。刊登2012TOP软装饰界5月刊
上海万科清林泾别墅样板房入围2011亚太室内设计精英邀请赛

项目：
无锡九龙仓古运河72号样板房
天津万科金色雅筑售楼处
上海万科赵巷晶源售楼处
上海九龙仓新江湾样板房
西安金地-曲江池别墅样板房

景瑞舟山售楼处
Jingrui Peninsula Bay sales office

A 项目定位 Design Proposition
水院/水榭/柱阵在传统东方装饰的设计风格中，向其注入了新鲜的血液，恰到好处的呈现出另一种独特风味。

B 环境风格 Creativity & Aesthetics
整个售楼处置于海边,鸟笼、木头、树枝点缀其中，映射了东方古典文化的同时，使得整体空间更为幽静和灵动，你似乎能在这里清晰听见水滴叮当、鸟儿鸣叫的声音。

C 空间布局 Space Planning
空间除了满足功能性外,更增添了感官体验,处处营造谧静悠闲感观享受。

D 设计选材 Materials & Cost Effectiveness
借由材料的运用，巧妙地将中国文化融合其中，使新、旧感受并列且同时呈现出东、西方文化交融的独特风格。装饰材料的应用上大量采用原生态的木饰面及石头，搭配茶色镜面、亮面不锈钢、棉麻布艺等，设计师尽可能的拉大材质间的相互对比，以强调东方从古到今的文化发展。

E 使用效果 Fidelity to Client
丰富的感官体验，让宾客沉浸在个人专属尊贵所带来的全新感受中。

Project Name_
Jingrui Peninsula Bay sales office
Chief Designer_
Su Ying
Location_
Zhoushan Zhejiang
Project Area_
1,600sqm
Cost_
4,680,000RMB

项目名称_
景瑞舟山售楼处
主案设计_
苏英
项目地点_
浙江省 舟山市
项目面积_
1600平方米
投资金额_
468万元

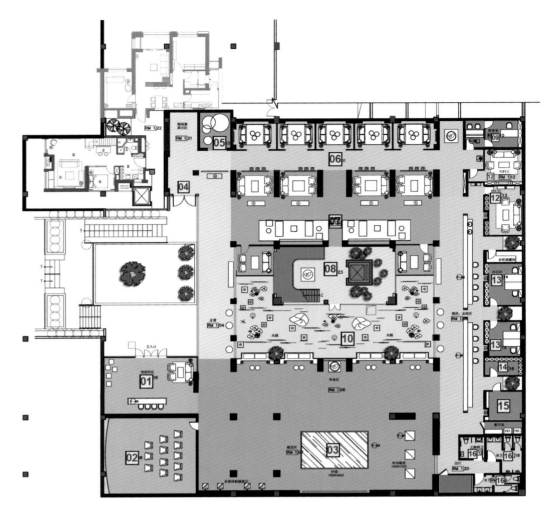

01	预接待区
02	影音室
03	模型展示区
04	样板区景观入口
05	亲子互动区
06	签约区
07	洽谈区
08	中导展示区
09	财务室
10	水景
11	销控、水吧区
12	VIP签约室
13	办公室
14	影音资料室
15	储藏室
16	卫生间

一层平面布置图

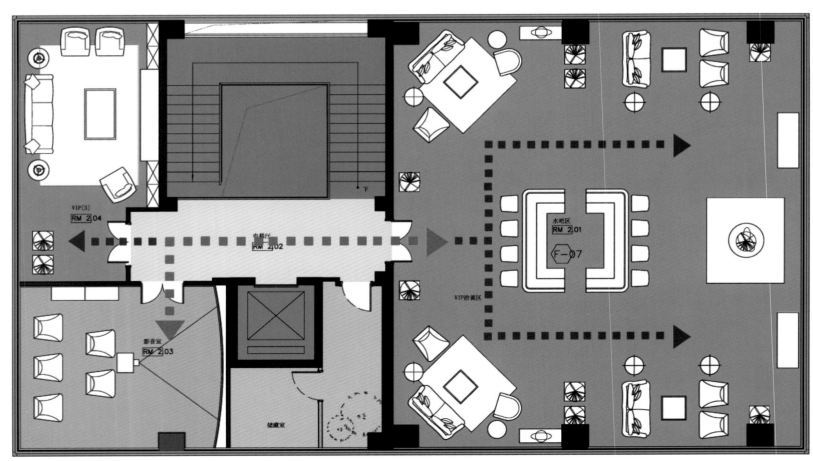

二层动线分析图

主案设计：
张振辉 Zhang Zhenhui
博客：
http:// 995809.china-designer.com
公司：
北京中美圣拓建筑工程设计有限公司
职位：
资深设计师

奖项：
广东省"岭南杯"室内装饰设计职业技能大赛"优秀奖"

项目：
济南临城石材万峯旗舰店

丽江金茂雪山语销售中心
Lijiang Jinmao Snow-Sales Center

A 项目定位 Design Proposition

设计策划上面，巧妙地结合自然赋予的美景——玉龙雪山，给人耳目一新的感觉，让人感受到室内与室外的完美结合；金茂雪山语售楼中心是一个为服务的旅游度假售楼处，一个独特的空间，为游客打造一个别具匠心的栖息之处，同时相应主题思想：静心丽江，古镇净心，倾听雪山语。

B 环境风格 Creativity & Aesthetics

纵观雪山语展示中心的整个设计，从建筑、景观到室内，入口到收尾，气韵饱和，形态潇洒，平面路径丰富，景观品质高贵。自然穿插，房中有景、景中有房，你中有我，我中有你，相互呼应，顾盼生辉。

C 空间布局 Space Planning

利用现代中式的装饰设计手法，框景、借景、虚实结合、对称性和序列性的完美结合。

D 设计选材 Materials & Cost Effectiveness

材质上采用了青石、中国黑、木纹石、灰砖、柚木等材料，巧妙与纳西的元素结合在一起，突显当地的文化。

E 使用效果 Fidelity to Client

真正的能够让旅客体验到丽江的美，雪山的壮丽。

Project Name_
Lijiang Jinmao Snow-Sales Center
Chief Designer_
Zhang Zhenhui
Participate Designer_
Lin Zhenzhong, Sun Aihua
Location_
Lijiang Yunnan
Project Area_
1,130sqm
Cost_
7,000,000RMB

项目名称_
丽江金茂雪山语销售中心
主案设计_
张振辉
参与设计师_
林振中、孙爱华
项目地点_
云南省 丽江
项目面积_
1130平方米
投资金额_
700万元

主案设计:
马治群 Ma Zhiqun
博客:
http://983784.china-designer.com
公司:
香港天工设计
职位:
总设计师

皇室英伦格调
Royal British Style

A 项目定位 Design Proposition

为了与中恒首府维多利亚风格的建筑特征相契合，将售楼部的主题定为"英伦皇室格调"，旨在将欧洲贵族气息推向极致，不仅诠释英伦风格的复古与奢华，更在空间的雕饰中再现几百年来欧洲艺术文化的缩影。

B 环境风格 Creativity & Aesthetics

通过门厅的缓冲进入空间，瞬时让人体会到一种严谨的空间感。浓郁欧洲风情的浮雕壁画夺人眼球，贴上金箔的花线顾盼生辉，大堂穹顶和罗马石柱大胆结合极富兴味，众多元素的搭配营造了很强的仪式感，让人仿佛越过时光隧道，扑面而来的是维多利亚宫廷般的恢弘气势。

C 空间布局 Space Planning

在延续手法的运用上匠心独具，通过对变幻多端的局部细节的规划，使得形式上得到视觉的统一。在布局规划上，主要分为模型展示区、洽谈区、英国皇室展示区、咖啡区、3D投影视听室等，在各区域采用开放、宽敞原则、凸显区域之间的融合与通透，并与细节融为一体。

D 设计选材 Materials & Cost Effectiveness

地板采用大块面层次分明的大理石拼花，炫目的沙盘坐落于中心位置，上方与之呼应的是大型水晶吊灯与古希腊神话人物的描绘壁画，顶棚壁画则以浓烈的色彩搭配和人物构图巧妙地将人的视线从沙盘引入大堂穹顶。吊顶以壁画为中心，方圆结合的网状辐射向外围延伸，精雕细琢的花线表面被贴上金箔，内镶复古手工油画，显得尤为宏伟壮丽。

E 使用效果 Fidelity to Client

皇家家具饰品的融合与运用注重比例、色彩、形式的对比协调，尽量缩减家具的比重，保持空间框架本身的美感。

Project Name_
Royal British Style
Chief Designer_
Ma Zhiqun
Participate Designer_
Liu Sishao, Lin Huizhen, Xu Weiqiang
Location_
Fuqing Fujian
Project Area_
1,000sqm
Cost_
10,000,000RMB

项目名称_
皇室英伦格调
主案设计_
马治群
参与设计师_
刘思芍、林惠桢、徐伟强
项目地点_
福建省 福清市
项目面积_
1000平方米
投资金额_
1000万元

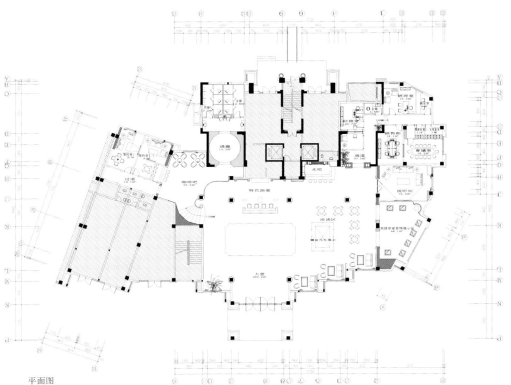

平面图

图书在版编目（ＣＩＰ）数据

顶级样板间·售楼处空间 / 金堂奖组委会编 . -- 北京 ：中国林业出版社，2013.3（金设计系列）

ISBN 978-7-5038-6835-1

Ⅰ . ①顶… Ⅱ . ①金… Ⅲ . ①室内装饰设计－作品集－世界－现代 Ⅳ . ① TU238

中国版本图书馆 CIP 数据核字（2012）第 273986 号

本书编委会

组编：《金堂奖》组委会

编写：王　亮◎文　侠◎王秋红◎苏秋艳◎孙小勇◎王月中◎刘吴刚◎吴云刚◎周艳晶◎黄　希　朱想玲◎谢自新◎谭冬容◎邱　婷◎欧纯云◎郑兰萍◎林仪平◎杜明珠◎陈美金◎韩　君　李伟华◎欧建国◎潘　毅◎黄柳艳◎张雪华◎杨　梅◎吴慧婷◎张　钢◎许福生◎张　阳

整体设计：ＡＮＥ 北京湛和文化发展有限公司
http://www.anedesign.com

中国林业出版社·建筑与家居出版中心

责任编辑：纪　亮、成海沛、李丝丝、李　顺
出版咨询：（010）83225283

出版：中国林业出版社
（100009 北京西城区德内大街刘海胡同 7 号）
网站：http://lycb.forestry.gov.cn
印刷：恒美印务（广州）有限公司
发行：新华书店北京发行所
电话：（010）8322 3051
版次：2013 年 3 月第 1 版
印次：2013 年 3 月第 1 次
开本：889mm×1194mm, 1/16
印张：13
字数：180 千字
定价：188.00 元

图书下载：凡购买本书，与我们联系均可免费获取本书的电子图书。
E-MAIL: chenghaipei@126.com　QQ: 179867195